外商投資銀行
超強Excel製作術

不只教你Excel技巧,
學會用數字思考、表達、說服,
做出最好的商業決策!

熊野整——著

劉格安——譯

ビジネスエリートの「これはすごい!」を集めた
外資系投資銀行のエクセル仕事術
数字力が一気に高まる基本スキル

序

讓外商投資銀行的 Excel 成為你的工作利器

　　一般而言，很少人知道投資銀行確切都在做些什麼工作，或許是因為大部分的工作都必須在極度保密下進行，舉凡大規模的企業併購諮詢、大型企畫案的資金調度，動輒牽涉龐大的交易金額，在在都是一般人日常生活中難以想像的規模（與此同時，外商金融業薪水誘人、淘汰率高等待遇面的事實，卻意外地廣為人知）。

　　此外，還有一件大家不知道的事，投資銀行能夠帶給客戶的價值當中，還包含神人級（！）的 Excel 技巧，以及以此為基礎的數字力。

　　似乎有很多人認為，在經手大型企業併購案的時候，只要利用專業的系統，就可以自動算出併購價格、分析企業價值或預估長期收益，不管面對再複雜的計算或分析，只要把數字輸入電腦裡，就能瞬間得出結果。但這根本是天大的誤解。

　　實際的狀況是，有時候計算的金額上看千億，看得人頭昏眼花，負責的人也必須逐一填滿 Excel 的儲存格，一張接著一張完成工作表。當然，全部都是手動輸入。

　　只要有一個地方出錯，就有可能造成數十億的誤差，在如此沉

重的壓力之下，仍必須精準地完成計算，這就是投資銀行的實情，也是投資銀行提供給客戶的價值。

我在大學畢業後，進入投資銀行摩根士丹利證券，初入公司不久，便接受多位 Excel 專家的洗禮。他們讓我徹底奠定 Excel 的基礎，日復一日地計算、再計算。如今回想起來，我在投資銀行工作的五年期間，自始至終都在使用 Excel 計算收益。

之後，我取得商學院學位，轉職到網路公司，有機會與各行各業的人士接觸，也再次體會到，投資銀行出身的人，擁有的 Excel 技巧是多麼出色！因為我發現，其他業界在 Excel 上出錯的情況簡直是家常便飯。我在商業現場的第一線，屢屢見證這些 Excel 帶來的災難，我了解到幾個事實：

- 因為每個人都照自己的方式在製作表格，很難一目瞭然
- 因為不曉得檢查的方法，無法減少誤算
- 因為計算太過複雜，容易造成旁人混淆
- 因為不懂 Excel 的快速鍵，而耗費大把的作業時間
- 想用 Excel 製作收益計畫，卻不知道該從何著手

以上這些問題，只要學會投資銀行的 Excel 技巧，全都可以迎刃而解。為了讓更多人了解其中訣竅，我從 2013 年 10 月起，以小型工作坊的形式開辦講座。第一次開課的時候，我只提前一週在臉書上公告訊息，沒想到十五個名額在二十分鐘之內就報名額滿。我才驚訝地發現，原來有這麼多人對 Excel 感到困擾啊！

我開辦的講座「投資銀行教你，用Excel學商業模擬！」，第一年就累積超過三千人報名參加。我利用平日晚上和週末整天，和一群積極又優秀的商務人士一起學習Excel，共同度過充實的時光。講座地點以東京為主，也在大阪、名古屋、福岡、仙台、札幌等地開辦，甚至還曾經遠赴新加坡舉行。

隨著講座逐漸步上正軌，開始有參加者向他們公司的人事單位反應：「我們一定要在公司內部推廣這套方法！」於是，講座的觸角便延伸到企業訓練。從顧問公司、大型綜合商社、大型廣告代理商、大型通訊企業，來自各大知名企業的委託蜂擁而至。我發現，越是優秀的商務人士，越渴望學習如何善用Excel。

所以，為了讓更多人認識投資銀行的Excel工作術，我決定把講座的內容編纂成冊，投入自己並不擅長的執筆工作，最後完成的心血結晶，就是這本書。本書不僅濃縮了講座的精華，還整理出曾經參與講座的優秀商務人士們特別推薦的內容。

在我看來，Excel會引發公司內部問題，讓人們產生排斥的心理，原因不外乎就是公司內部未貫徹Excel的基本原則。如果團隊每個成員都照自己的方式在使用Excel，即使操作經驗再豐富，也無法提升團隊整體的作業效率或減少誤算的情況，如此一來，自然無法消除大家內心對Excel的排斥感。

這一點是我在講座中最強調的部分，也在本書中花了一定的篇幅說明。

本書並不是 Excel 技術指南，在這本書裡，別說是巨集了，連函數也沒出現過，當然，更沒有複雜的財務會計計算。

取而代之的是，我投注了更多的心力想讓各位知道「建立 Excel 的基本原則」和「團隊全員都要貫徹基本原則」這兩點的重要性。

應該有不少人認為自己不擅長處理數字吧？不過，只要加強 Excel 能力，自然就能提升數字力。數字力提升之後，就可以運用有根據的數字來分析風險，甚至能夠預測未來趨勢。我相信，提升團隊全員的 Excel 技巧，不僅能讓 Excel 作業變得更加迅速而正確，還能為你的事業帶來莫大的利益。

另外，本書的內容適用於 Windows 系統，麥金塔的 Excel 操作方式跟 Windows 略有不同，還請讀者留意。

熊野　整

第1章　一目瞭然的 Excel
──表格做得漂亮，就會讓人覺得值得信賴

第 **2** 章　**零失誤的 Excel**
　　　　　　——掌握檢查的原則，從此不再為失誤懊惱

第 3 章　高效率的 Excel
——記住好用的快速鍵，同時提升工作的質與量

第4章 徹底活用 Excel，強化數字力
—— 準確預測「未來能賺多少錢？」

contents

前言
透過 Excel，鍛鍊數字力！

當你向上司提出一項新的服務企畫案時，上司問你：「這可以賺多少錢？」你能夠給出一個明確的答案嗎？

身為商務人士，數字力當然是很重要的能力，可惜現實總是不盡人意，很多人出於對數學的反感，在面對上司這樣的提問時，只會說：「這個嘛……希望能達到這樣的銷售額啦……」像這樣搪塞過去，企畫案當然也沒能通過。這樣的人應該不在少數吧。

此外，單就「數字力」來說，也有幾種不同的類型，例如：

- （看見數字的瞬間）「比去年成長了42.5%呢！」屬於心算類型的數字力
- 「全日本有多少電線桿呢？」屬於概算類型的數字力
- 「如何評估這項事業的總資產週轉率？」屬於財務類型的數字力

本書談論的數字力，則是「徹底活用Excel，懂得模擬收益計畫的數字力」。舉例而言，當我們被問到：「這項事業計畫可以帶來多少收益？」

如果能夠回答：「假設取得20%的市占率，售價1,500元的話，全年度的銷貨收入估計可上看10億元。」

　　或者：「順利的話（樂觀情況下），全年收益應該可以達到3,000萬元；即便在最壞的情況下（悲觀情況下），也至少可以達到500萬元，我認為虧錢的機率很低，因此請務必推行這項計畫！」

　　像這樣條理分明地解說模擬計算的結果，就是透過Excel培養出來的數字力。

　　徹底活用Excel，強化數字力之後，一方面能夠做出合理的判斷，讓工作順暢進行；另一方面，也能夠降低草率施策的風險。如果一家公司能夠多培養像這樣數字力強的商務人士，競爭力自然會提升，業績也會蒸蒸日上。

　　這本書就是專為渴望加強「Excel數字力」的商務人士提供基礎技能。內容共分成四章：

第1章　一目瞭然的Excel
第2章　零失誤的Excel
第3章　高效率的Excel
第4章　徹底活用Excel，強化數字力

第1章到第3章的主要目標，是希望解決各位平常可能會面臨

圖 0-1 | 商業必備的 Excel 技巧

提升 Excel 基礎力

① 一目瞭然的 Excel

② 零失誤的 Excel

③ 高效率的 Excel

提高作業效率！減輕壓力！

提升商業決策力

④ 利用 Excel 模擬收益

強化數字力！

到的 Excel 問題，消除對 Excel 的反感。

「同事做的 Excel 好複雜，看起來好有壓力。」
「我很怕用 Excel 算錯。」
「我的 Excel 作業速度很慢，老是給團隊添麻煩。」

　　為了解決這些問題，我在這本書中彙整了所有應貫徹於企業內部的 Excel 基本原則。如果能夠確實遵循這些原則，相信一定可以提升團隊整體的 Excel 作業效率、減少誤算情形，同時也減輕團隊成員的壓力。

　　至於第 4 章的內容則稍有不同，第 4 章的目標是「徹底活用Excel，成為數字力強的商務人士」。

具備數字力的話，Excel就不再只是一項作業工具，而是能夠提升商業決策力的武器。當你提出一項新商品的企畫案時，如果能夠運用Excel預測未來的收益，或是進行各種模擬，一定會大幅提升你的說服力。即使被質疑：「這能賺多少錢？」也能夠冷靜地出示模擬的結果，協助上司做出準確的判斷，相信這麼一來，企畫案通過的可能性就很大了。

從這本書中，你不僅能夠提升Excel的基礎能力，更能提升商務人士必備的數字力，甚至進一步提升團隊或企業的決策力。

第 1 章

一目瞭然的 Excel

——表格做得漂亮，就會讓人覺得值得信賴

投資銀行對「表格易讀性」的要求極為嚴格

　　我在開辦的Excel講座或企業訓練課程上，第一個小時一定會先仔細講解格式，因為在使用Excel的時候，格式是基礎中的基礎。然而，許多商務人士都不在意Excel的格式，除了投資銀行以外，大部分的企業也都沒有針對Excel的格式制定基本原則。

　　容我提出一個問題：「你會想看別人做的Excel嗎？」

　　恐怕大部分的人都會回答NO吧。理由或許有很多種，但最主要的理由，應該還是「因為很難懂」吧。由於有太多無法一目瞭然的Excel，這就是為什麼大家會對Excel產生排斥感的原因。

　　如果團隊只會做出複雜難懂的Excel，誤算的情況將永遠無法減少，作業效率也始終不見改善。以結果來說，自然無法提升數字面的思考能力。

　　投資銀行對於Excel的呈現方式，也就是對於格式的要求相當嚴格。為什麼要如此堅持呢？

　　因為一份格式整齊的Excel有兩個好處：

① 減少 Excel 帶來的壓力和誤算

② 獲得客戶和團隊成員的信賴

接下來，就針對這兩點詳細說明吧。

1 | 減少 Excel 帶來的壓力和誤算

你可能會覺得不解，Excel 的格式和壓力究竟有什麼因果關係？假想你現在正在閱讀一份別人製作的表格，拿到一份別人製作的表格時，在檢查內容之前，你是不是會先研究「表格的哪個部分，做了什麼樣的計算」呢？換句話說，就是先試圖掌握表格的架構。這麼一來，就很容易感受到壓力。我想，很多商務人士會抱怨：「我對 Excel 很頭痛。」原因之一，恐怕就是來自於這種壓力吧。

要解決這種壓力，必須要求團隊裡的每一位成員都要學會「製作任何人都看得懂的 Excel」。

如果每一位成員都學會製作一目瞭然的 Excel，大家再也不必為了表格的架構而傷腦筋，可以立即討論內容或分析結果。

外商投資銀行也會跟海外分公司共享資料，但不管是哪一個國家的分公司，在製作 Excel 時都採用相同的格式，因此很容易就能理解表格的內容。此外，由於投資銀行的工作繁重且極為嚴格，中途離職的人也不在少數，經常需要有人接手前者的工作，在這種時

候，如果 Excel 做得一目瞭然，交接工作也會比較順利。

2 ｜ 獲得客戶和團隊成員的信賴

資料的樣式也會影響客戶的觀感。在投資銀行，我們經常需要提供資料給客戶參考，舉例來說，當企業客戶有意收購一家公司時，投資銀行會以顧問的角色提供收購策略。除此之外，我們也得推銷業務，設法讓客戶知道我們在企業併購顧問的領域表現有多優秀。無論在何種情況下，都必須製作出能夠獲得客戶信賴的資料。

說起業務資料，一般最常見的就是將普通用紙黑白列印，再用訂書機裝訂；但投資銀行製作的資料可不是這樣。投資銀行會準備高級用紙，彩色列印，再以專用的資料夾裝訂成冊。每一冊的製作成本高達數千日元。因為資料的外觀如果不夠亮眼，即使內容再好，也無法給客戶一個好印象。

為了讓人留下多一分好印象，不僅資料的內容要充足，連外觀也不能有一丁點馬虎，這就是投資銀行的文化，所以才會嚴格要求 Excel 的格式一定要讓任何人看了都會心想：「好整齊！」「好清楚！」

　　我在摩根士丹利證券的時候，曾經有客戶告訴我：「摩根士丹利的資料真的做得很精美，只是紙的尺寸……」

　　當時，摩根士丹利東京分公司使用的紙張尺寸，和紐約分公司一樣都是「Letter」尺寸，這在美國是很普遍的尺寸，但是在日本卻很少見。

　　客戶繼續說道：「資料用那種日本沒在使用的尺寸，很難讓人覺得你們重視日本企業。」

　　這番話讓我心裡想：「什麼？何必那麼在意紙的尺寸？」但一問之下才知道，另一家投資銀行界的龍頭，會特地把日本的提案資料改成A4紙。猶記得我當下心裡很佩服：「不愧是投資銀行界的龍頭啊，連對格式的要求都是業界第一！」（話說回來，對格式要求如此嚴格的摩根士丹利，那時為什麼不在意紙張的尺寸呢？）

　　這件事讓我深刻感受到，雖然紙的尺寸和提案內容毫無關連，看起來好像只是一件微不足道的小事，但客戶的觀感確實會受到這些細微的格式或外觀因素所影響。

一目瞭然的資料，
必須從貫徹「原則」開始

　　為了讓公司內部的溝通更順暢，或是讓客戶留下好印象，製作一份能夠讓人一目瞭然的表格是一件很重要的事。但所謂「能夠讓人一目瞭然的表格」，具體來說，究竟是什麼樣的表格呢？

　　請想像一下這樣的情境吧，某位上司實在看不懂部屬做的Excel表格，於是命令部屬A和部屬B：「把表格做得清楚一點！」部屬A聽了心想：「好，那就用顏色來區別吧！」便把表格改得五顏六色。B部屬則決定：「不需要用到顏色，只讓表格明顯一點就好了。」於是把表格全部加上框線。

　　接著當雙方看到對方的表格時，A心想：「什麼嘛！這表格也太簡略了吧！」B心想：「這麼花俏的表格，看得我眼花撩亂。」結果雙方都偏離了上司的指示。類似的情況經常發生在使用Excel的時候。

　　光是「一目瞭然」這四個字，解讀的方式也因人而異，有些人認為簡單易懂的東西，在別人眼裡可能相當複雜難懂。為了避免每個人都用自己的方式詮釋「一目瞭然」，投資銀行採取的解決辦法就是制定一套標準的格式原則。

圖 1-1　　如果沒有原則，「一目瞭然」也會變得難以理解

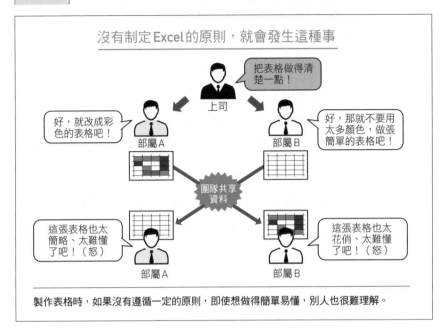

沒有制定 Excel 的原則，就會發生這種事

上司：把表格做得清楚一點！

部屬 A：好，就改成彩色的表格吧！

部屬 B：好，那就不要用太多顏色，做張簡單的表格吧！

團隊共享資料

部屬 A：這張表格也太簡略、太難懂了吧！（怒）

部屬 B：這張表格也太花俏、太難懂了吧！（怒）

製作表格時，如果沒有遵循一定的原則，即使想做得簡單易懂，別人也很難理解。

　　格式不需要展現個性，在投資銀行，無論是簡報的投影片，或是 Excel 的表格，都有詳細的格式規定，所有員工都必須遵守。

　　摩根士丹利對格式的規定相當嚴格，我在進公司頭兩年向上司提出的資料，從來不曾一次就通過，一直到第三年才比較熟悉規定，到第四年才開始指導新進員工。可見得我們花了多少時間在熟悉格式的規定。因為投資銀行非常堅持一項原則——**貫徹標準格式，是減少誤算、提高對內容的掌握度，以及獲得客戶信賴的基礎**。

然而，大部分的企業都沒有針對表格的格式制定原則。明明對簡報的投影片或商標的使用都有嚴格的規定，為什麼在使用Excel的時候，卻放任大家各自發揮呢？**Excel的格式才是真正應該講究的部分。**

Excel的計算本來就比較複雜，理解內容需要花費一點時間，這時候如果每個人還各自用不同的形式呈現表格，就要耗費更多的精神來理解。如果是Word或PowerPoint，只要理解資料上的內容就好；但換成Excel，因為還需要理解計算的過程，必須確認的資料量也會變得相當龐大。表格中的算式都必須一個一個仔細檢查。一份複雜難懂的表格，會讓看的人無法迅速理解每一個儲存格分別在計算什麼，如此一來，就會造成一股極大的壓力。長久下來，可能導致越來越少人願意仔細檢查Excel的計算，使得誤算的情況對企業造成負面影響。

制定一套簡單易懂的格式原則，不僅能幫助我們製作出條理清晰、格式整齊的Excel表格，還能提高全公司上下的作業效率和工作品質。

相信任何一個忙碌的商務人士，都會想要提高Excel的作業效率。說到提高效率，或許有人會聯想到快速鍵的運用，但在那之前，貫徹格式原則，才是我們的第一要務。

在公司內部制定一套標準的格式原則，可以獲得三大效果。

圖1-2　如果沒有原則，「一目瞭然」也會變得難以理解

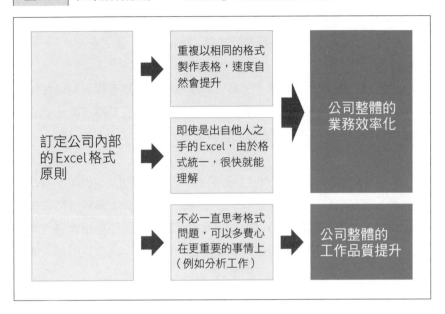

一是能夠在短時間內完成表格。因為重複採用相同的格式製作表格，熟悉了以後，自然能夠提升作業速度。

二是在標準格式的原則之下，公司內部所有人做的表格都可以快速理解。企業能夠憑藉這兩點達到作業的效率化。

三是能夠提升Excel計算或分析的品質。當我們事先制定好格式原則，就不必在製作表格時，一項一項煩惱該採用什麼格式才好。如此一來，便能夠把時間花在思考格式以外、更本質的事情上，例如資料的分析方法等等。最後，公司內部所有使用Excel的工作都能提高品質，連帶創造出更多利益。

關於投資銀行對格式究竟有多講究，我想介紹一個例子。

這已經是好久以前的事了，某一年摩根士丹利投資銀行的尾牙活動上，公司舉辦問答比賽，有趣的是，比賽的題目竟然是要我們在會場螢幕的投影片中，找出格式錯誤的地方。

當時剛出社會的我心裡想：「這些人到底在幹嘛啊？」但如今回想起來，這可是一件不簡單的事。正因為公司全體員工都知道格式有正確解答，這些題目才得以成立。而且大家對於正確的格式有一套共同的認知，才能夠把找出錯誤當成是一種娛樂。這點真的讓人強烈感覺到投資銀行對格式的堅持。

正確格式的原則

在上一節已經說明了制定格式原則，以及全公司共同遵守原則的重要性，但是在付諸實行之前，我們還必須先認識何謂正確的格式。

本書所謂一目瞭然的格式，如圖1-3所示。

圖1-3 ┃ 採用正確格式的表格清楚易懂，也能掌握計算的過程

		第1年	第2年	第3年
收益計畫				
銷貨收入	元	800,000	1,040,000	1,352,000
銷貨數量	個	1,000	1,300	1,690
成長率	％	N/A	30%	30%
單價	元	800	800	800
費用	元	300,000	500,000	700,000
薪資支出	元	200,000	400,000	600,000
員工人數	人	1	2	3
平均薪資支出	元	200,000	200,000	200,000
租金	元	100,000	100,000	100,000
營業淨利	元	500,000	540,000	652,000

這套格式是我參考投資銀行業界常用的格式，再稍做修改後的版本，並非特定投資銀行的格式。另外，如果各位認為「有更適合我們公司的格式」，當然也可以自行修改。

　　重要的是，如果決定變更格式原則，就要貫徹新的原則。

　　光看這張表格，或許還不是很容易理解，我們就直接來比較一下「不在意格式設定的表格」和「一目瞭然的表格」究竟差在哪裡吧。請看圖 1-4。

　　各位是不是覺得下面的表格比較美觀，內容也比較清楚呢？接下來，就讓我來一一為各位說明這張表格是怎麼完成的，在哪邊用了什麼樣的巧思，才讓它看起來如此美觀、清楚。

1　列高設定為「18」

　　如圖 1-5 所示，Excel 的預設列高一般為「13.5」，用這樣的列高製作表格，列與列之間沒有空隙，看起來會很擁擠。因此，正確的格式應該是把列高設定為「18」。只要把列高從「13.5」改成「18」，就能讓文字上下多出一點空間，不僅更容易閱讀，也能使表格呈現出簡練的風格。

圖 1-4 　 雜亂無章的 Excel 和一目瞭然的 Excel

✖ 雜亂無章的 Excel

	A B	C	D	E	F
1	收益計畫				
2			第1年	第2年	第3年
3	銷貨收入（元）		800,000	1,040,000	1,352,000
4	銷貨數量（個）		1,000	1,300	1,690
5	成長率（％）		N/A	30%	30%
6	單價（元）		800	800	800
7	費用（元）		300,000	500,000	700,000
8	薪資支出（元）		200,000	400,000	600,000
9	員工人數（人）		1	2	3
10	平均薪資支出（元）		200,000	200,000	200,000
11	租金（元）		100,000	100,000	100,000
12	營業淨利（元）		500,000	540,000	652,000

⭕ 一目瞭然的 Excel

	A B C	D	E	F	G	H	I
1							
2	收益計畫						
3				第1年	第2年	第3年	
4	銷貨收入		元	800,000	1,040,000	1,352,000	
5	銷貨數量		個	1,000	1,300	1,690	
6	成長率		％	N/A	30%	30%	
7	單價		元	800	800	800	
8	費用		元	300,000	500,000	700,000	
9	薪資支出		元	200,000	400,000	600,000	
10	員工人數		人	1	2	3	
11	平均薪資支出		元	200,000	200,000	200,000	
12	租金		元	100,000	100,000	100,000	
13	營業淨利		元	500,000	540,000	652,000	

上面是未考量格式的表格，下面是正確格式的表格。

圖 1-5　增加列高，讓表格更清楚

✖ 列高為 13.5（預設值）

	A B C	D	E	F	G	H	I
1							
2	收益計畫						
3				第1年	第2年	第3年	
4	銷貨收入		元	800,000	1,040,000	1,352,000	
5	銷貨數量		個	1,000	1,300	1,690	
6	成長率		%	N/A	30%	30%	
7	單價		元	800	800	800	
8	費用		元	300,000	500,000	700,000	
9	薪資支出		元	200,000	400,000	600,000	
10	員工人數		人	1	2	3	
11	平均薪資支出		元	200,000	200,000	200,000	
12	租金		元	100,000	100,000	100,000	
13	營業淨利		元	500,000	540,000	652,000	

縱幅太窄，很難閱讀！

⭘ 列高設定為 18

	A B C	D	E	F	G	H	I
1							
2	收益計畫						
3				第1年	第2年	第3年	
4	銷貨收入		元	800,000	1,040,000	1,352,000	
5	銷貨數量		個	1,000	1,300	1,690	
6	成長率		%	N/A	30%	30%	
7	單價		元	800	800	800	
8	費用		元	300,000	500,000	700,000	
9	薪資支出		元	200,000	400,000	600,000	
10	員工人數		人	1	2	3	
11	平均薪資支出		元	200,000	200,000	200,000	
12	租金		元	100,000	100,000	100,000	
13	營業淨利		元	500,000	540,000	652,000	

上下保留空間，清楚明瞭！

圖1-6　調整列高的方式

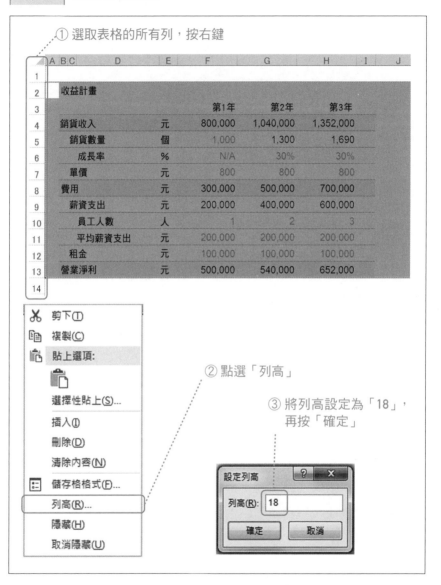

① 選取表格的所有列，按右鍵

	A	B	C	D	E	F	G	H	I	J
1										
2		收益計畫								
3						第1年	第2年	第3年		
4		銷貨收入			元	800,000	1,040,000	1,352,000		
5			銷貨數量		個	1,000	1,300	1,690		
6			成長率		%	N/A	30%	30%		
7			單價		元	800	800	800		
8		費用			元	300,000	500,000	700,000		
9			薪資支出		元	200,000	400,000	600,000		
10			員工人數		人	1	2	3		
11			平均薪資支出		元	200,000	200,000	200,000		
12			租金		元	100,000	100,000	100,000		
13		營業淨利			元	500,000	540,000	652,000		
14										

✂ 剪下(T)
複製(C)
貼上選項：

選擇性貼上(S)...
插入(I)
刪除(D)
清除內容(N)
儲存格格式(F)...
列高(R)...
隱藏(H)
取消隱藏(U)

② 點選「列高」

③ 將列高設定為「18」，
再按「確定」

設定列高
列高(R): 18
確定　　取消

　　如圖 1-7 所示，正確格式的字型，**英數字型為 Arial，中文字型為 MS PGothic**。我的電腦的 Excel 預設字型是 MS PGothic，但這種字型有個缺點，就是半形的英數字體較圓潤，因此，英數字型的部分，最好改成數字較瘦長的 Arial。

　　另外，很多人對字型有自己的堅持，像 Times New Roman 就是很常使用的英數字型。雖然 Times New Roman 確實是有型又好看的字型，但數字的線粗細不一，所以在閱讀舒適度上不如 Arial。如圖 1-8 所示，**在 Excel 表格中，字體容不容易閱讀，比好不好看更重要，因此建議採用 Arial 字型。**

　　至於中文字型，則採用預設的 MS PGothic。MS PGothic 和 Arial 一樣，文字的線粗細一致，比較容易閱讀。

　　如圖 1-9 所示，文字的大小可以維持原先的預設值「11」。需要注意的是，表格中不應該使用不同大小的字，因為一旦混用不同大小的字，整張表格將很難維持視覺上的平衡。文字大小一致，對閱讀者來說也比較不會產生壓力。如果有想要強調的部分，可以用顏色特別標示出來，而不是把文字放大。

圖 1-7 ｜ 英數字用 Arial 比較清楚

✖ 預設的字體

▲	A	B C	D	E	F	G	H	I
1								
2		收益計畫						
3					第1年	第2年	第3年	
4		銷貨收入		元	800,000	1,040,000	1,352,000	
5		銷貨數量		個	1,000	1,300	1,690	
6		成長率		%	N/A	30%	30%	
7		單價		元	800	800	800	
8		費用		元	300,000	500,000	700,000	
9		薪資支出		元	200,000	400,000	600,000	
10		員工人數		人	1	2	3	
11		平均薪資支出		元	200,000	200,000	200,000	
12		租金		元	100,000	100,000	100,000	
13		營業淨利		元	500,000	540,000	652,000	

數字比較圓潤，不易辨識！

⭕ Arial 的英數字

▲	A	B C	D	E	F	G	H	I
1								
2		收益計畫						
3					第1年	第2年	第3年	
4		銷貨收入		元	800,000	1,040,000	1,352,000	
5		銷貨數量		個	1,000	1,300	1,690	
6		成長率		%	N/A	30%	30%	
7		單價		元	800	800	800	
8		費用		元	300,000	500,000	700,000	
9		薪資支出		元	200,000	400,000	600,000	
10		員工人數		人	1	2	3	
11		平均薪資支出		元	200,000	200,000	200,000	
12		租金		元	100,000	100,000	100,000	
13		營業淨利		元	500,000	540,000	652,000	

數字比較瘦長，一清二楚！

圖 1-8　有型，不一定容易閱讀

✖ Times New Roman 的英數字

	A B C	D	E	F	G	H	I
1							
2	收益計畫						
3				第1年	第2年	第3年	
4	銷貨收入		元	800,000	1,040,000	1,352,000	
5	銷貨數量		個	1,000	1,300	1,690	
6	成長率		%	N/A	30%	30%	
7	單價		元	800	800	800	
8	費用		元	300,000	500,000	700,000	
9	薪資支出		元	200,000	400,000	600,000	
10	員工人數		人	1	2	3	
11	平均薪資支出		元	200,000	200,000	200,000	
12	租金		元	100,000	100,000	100,000	
13	營業淨利		元	500,000	540,000	652,000	

雖然有型，卻不容易閱讀

⭕ Arial 的英數字

	A B C	D	E	F	G	H	I
1							
2	收益計畫						
3				第1年	第2年	第3年	
4	銷貨收入		元	800,000	1,040,000	1,352,000	
5	銷貨數量		個	1,000	1,300	1,690	
6	成長率		%	N/A	30%	30%	
7	單價		元	800	800	800	
8	費用		元	300,000	500,000	700,000	
9	薪資支出		元	200,000	400,000	600,000	
10	員工人數		人	1	2	3	
11	平均薪資支出		元	200,000	200,000	200,000	
12	租金		元	100,000	100,000	100,000	
13	營業淨利		元	500,000	540,000	652,000	

數字粗細一致，看起來比較清楚

圖 1-9　文字大小也要統一

✘ 文字大小混亂不一

	A B C	D	E	F	G	H	I
1							
2	**收益計畫**						
3				第1年	第2年	第3年	
4	銷貨收入	元	800,000	1,040,000	1,352,000	
5	銷貨數量	個	1,000	1,300	1,690	
6	成長率	%	N/A	30%	30%	
7	單價	元	800	800	800	
8	費用	元	300,000	500,000	700,000	
9	薪資支出	元	200,000	400,000	600,000	
10	員工人數	人	1	2	3	
11	平均薪資支出	元	200,000	200,000	200,000	
12	租金	元	100,000	100,000	100,000	
13	營業淨利	元	500,000	540,000	652,000	

整張表格很難閱讀！

○ 文字大小一致

	A B C	D	E	F	G	H	I
1							
2	收益計畫						
3				第1年	第2年	第3年	
4	銷貨收入	元	800,000	1,040,000	1,352,000	
5	銷貨數量	個	1,000	1,300	1,690	
6	成長率	%	N/A	30%	30%	
7	單價	元	800	800	800	
8	費用	元	300,000	500,000	700,000	
9	薪資支出	元	200,000	400,000	600,000	
10	員工人數	人	1	2	3	
11	平均薪資支出	元	200,000	200,000	200,000	
12	租金	元	100,000	100,000	100,000	
13	營業淨利	元	500,000	540,000	652,000	

整張表格都很清楚！

圖1-10　字型的調整方式

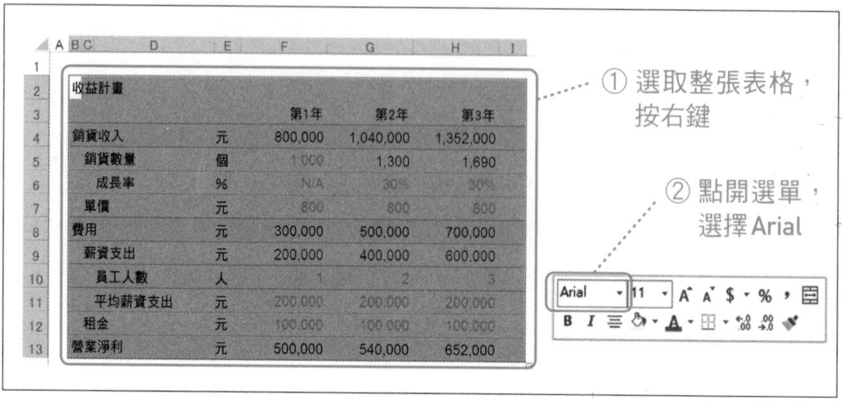

① 選取整張表格，
　 按右鍵

② 點開選單，
　 選擇Arial

3 ｜ 數字要加上千分位符號

如圖1-11所示，數字要加上千分位符號（,），標出位數。如果沒有千分位符號，就必須一個一個計算位數；加上這個符號後，便能一目瞭然。為了快速掌握數字，記得一定要加上千分位符號。

既然都提到千分位符號了，也順便討論一下貨幣單位的表現方式吧。當金額較大的時候，我們會以「千元」為單位，省略百位數以下的三個0。如果只以「元」為單位，在數值太大、位數太多的情況下，閱讀者很難快速掌握數值。**如圖1-12所示，貨幣單位要以「千元」、「百萬元」或「十億元」為單位。**這也是為了配合Excel的千分位符號。雖然中文會說「萬元」或「億元」，但Excel並不使用這些單位。

圖 1-11　　**數字必須加上千分位符號**

✖ 沒有千分位符號

		第1年	第2年	第3年
收益計畫				
銷貨收入	元	800000	1040000	1352000
銷貨數量	個	1000	1300	1690
成長率	%	N/A	30%	30%
單價	元	800	800	800
費用	元	300000	500000	700000
薪資支出	元	200000	400000	600000
員工人數	人	1	2	3
平均薪資支出	元	200000	200000	200000
租金	元	100000	100000	100000
營業淨利	元	500000	540000	652000

數字很不容易辨識！

⭕ 加上千分位符號

		第1年	第2年	第3年
收益計畫				
銷貨收入	元	800,000	1,040,000	1,352,000
銷貨數量	個	1,000	1,300	1,690
成長率	%	N/A	30%	30%
單價	元	800	800	800
費用	元	300,000	500,000	700,000
薪資支出	元	200,000	400,000	600,000
員工人數	人	1	2	3
平均薪資支出	元	200,000	200,000	200,000
租金	元	100,000	100,000	100,000
營業淨利	元	500,000	540,000	652,000

能快速掌握數字！

單位也必須配合千分位符號

	（中文）	（英文）
1,000	千元	Thousand
1,000,000	百萬元	Million
1,000,000,000	十億元	Billion

不管是中文或英文，單位要配合千分位符號使用。

標示千分位符號的方法

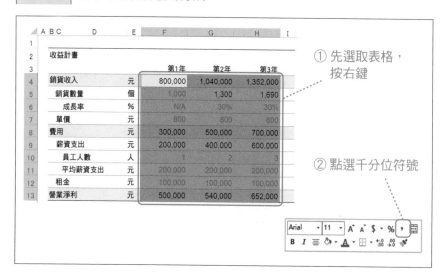

① 先選取表格，
　按右鍵

② 點選千分位符號

在 Excel 表格中，如果想讓對方一眼就看懂資料的含意或計算方式，建議最好把項目底下的細項向右縮排。請參考圖 1-14。在上面的表格當中，所有項目都靠左對齊，如此一來，我們就無法知道銷貨收入或費用是怎麼計算出來的。此時，如果能像下面的表格一樣，把細項向右縮一排，就能夠清楚知道銷貨收入是「銷貨數量 × 單價」計算出來的結果。

在投資銀行，細項向右縮排的規定執行得十分徹底。因為投資銀行使用的 Excel 表格，內容往往多達數十列，整體看下來非常長，在看這些表格的時候，如果不能立即看懂表格的架構，就無法正確理解大量的計算資料。所以，**把項目底下的細項向右縮排，才能讓初次接觸表格的人，也能快速掌握整體的架構。**

如圖 1-15 所示，細項縮排的方式有幾個步驟，包括選取要縮排的那一欄、設定欄寬、輸入細項的文字，或是移動已經輸入的文字。要縮排的欄（空白的欄）欄寬請設定為「1」。

細項向右縮一排，不僅能使表格的架構更清楚，還能夠提高 Excel 的作業速度。

圖 1-14　細項縮排，讓計算的架構更清楚

✖ 所有項目都靠左對齊

	A B C	D	E	F	G	H	I
1							
2	收益計畫						
3				第1年	第2年	第3年	
4	銷貨收入		元	800,000	1,040,000	1,352,000	
5	銷貨數量		個	1,000	1,300	1,690	
6	成長率		%	N/A	30%	30%	
7	單價		元	800	800	800	
8	費用		元	300,000	500,000	700,000	
9	薪資支出		元	200,000	400,000	600,000	
10	員工人數		人	1	2	3	
11	平均薪資支出		元	200,000	200,000	200,000	
12	租金		元	100,000	100,000	100,000	
13	營業淨利		元	500,000	540,000	652,000	

很難了解計算的架構！

⭕ 細項向右縮排

	A B C	D	E	F	G	H	I
1							
2	收益計畫						
3				第1年	第2年	第3年	
4	銷貨收入		元	800,000	1,040,000	1,352,000	
5	銷貨數量		個	1,000	1,300	1,690	
6	成長率		%	N/A	30%	30%	
7	單價		元	800	800	800	
8	費用		元	300,000	500,000	700,000	
9	薪資支出		元	200,000	400,000	600,000	
10	員工人數		人	1	2	3	
11	平均薪資支出		元	200,000	200,000	200,000	
12	租金		元	100,000	100,000	100,000	
13	營業淨利		元	500,000	540,000	652,000	

計算的架構很清楚！

圖 1-15　欄寬的調整方式

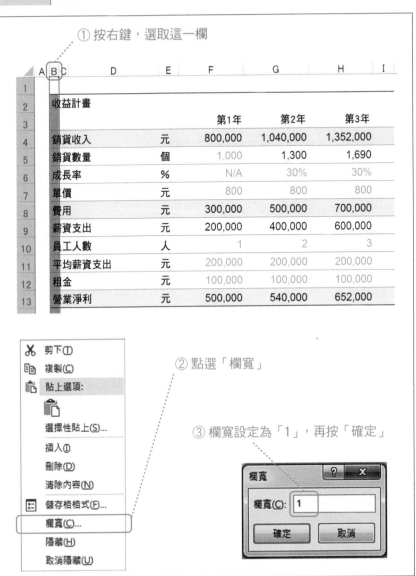

① 按右鍵，選取這一欄

收益計畫

		第1年	第2年	第3年
銷貨收入	元	800,000	1,040,000	1,352,000
銷貨數量	個	1,000	1,300	1,690
成長率	%	N/A	30%	30%
單價	元	800	800	800
費用	元	300,000	500,000	700,000
薪資支出	元	200,000	400,000	600,000
員工人數	人	1	2	3
平均薪資支出	元	200,000	200,000	200,000
租金	元	100,000	100,000	100,000
營業淨利	元	500,000	540,000	652,000

✂ 剪下(T)
▣ 複製(C)
▣ 貼上選項：

選擇性貼上(S)...
插入(I)
刪除(D)
清除內容(N)
▣ 儲存格格式(F)...
欄寬(C)...
隱藏(H)
取消隱藏(U)

② 點選「欄寬」

③ 欄寬設定為「1」，再按「確定」

欄寬　　　　　　? X

欄寬(C)： 1

確定　　　取消

使用 Excel 的時候，比想像中更費時的，其實是在儲存格之間移動所花費的時間。要移動到某一個儲存格時，一種方法是連續按方向鍵，直到目標儲存格，另一種方法則是使用滑鼠，但是這兩種方式都很費時。不過，**只要把細項縮排，就能像圖 1-16 所示，利用〔Ctrl〕＋方向鍵，在儲存格之間快速移動。**

圖 1-16 利用〔Ctrl〕＋方向鍵，快速移動！

① 按〔Ctrl〕＋〔↓〕，跳到「費用」

② 按「↓」「→」，移動到費用項底下的「薪資支出」

③ 按〔Ctrl〕＋〔↓〕，跳到「租金」

移動速度變快了！

	A B C	D	E	F	G	H	I
1							
2	收益計畫						
3				第1年	第2年	第3年	
4	銷貨收入		元	800,000	1,040,000	1,352,000	
5	銷貨數量		個	1,000	1,300	1,690	
6	成長率		%	N/A	30%	30%	
7	單價		元	800	800	800	
8	費用		元	300,000	500,000	700,000	
9	薪資支出		元	200,000	400,000	600,000	
10	員工人數		人	1	2	3	
11	平均薪資支出		元	200,000	200,000	200,000	
12	租金		元	100,000	100,000	100,000	
13	營業淨利		元	500,000	540,000	652,000	

5 │ 單位要自成一欄

如圖 1-17 所示，如果把「元」、「個」、「%」等單位放在項目名稱後面，由於各單位的位置前後不一，我們很難一眼就看到單位在哪裡、單位是什麼。為了讓單位更明顯，應該增加一欄單位專用的欄位，單獨輸入各項目的單位。

圖1-17　單位要自成一欄

✘　單位未自成一欄

	A B C	D	E	F	G	H	I
1							
2	收益計畫						
3				第1年	第2年	第3年	
4	銷貨收入（元）			800,000	1,040,000	1,352,000	
5	銷貨數量（個）			1,000	1,300	1,690	
6	成長率（％）			N/A	30%	30%	
7	單價（元）			800	800	800	
8	費用（元）			300,000	500,000	700,000	
9	薪資支出（元）			200,000	400,000	600,000	
10	員工人數（人）			1	2	3	
11	平均薪資支出（元）			200,000	200,000	200,000	
12	租金（元）			100,000	100,000	100,000	
13	營業淨利（元）			500,000	540,000	652,000	

找不到單位在哪裡

⬤　單位自成一欄

	A B C	D	E	F	G	H	I
1							
2	收益計畫						
3				第1年	第2年	第3年	
4	銷貨收入		元	800,000	1,040,000	1,352,000	
5	銷貨數量		個	1,000	1,300	1,690	
6	成長率		％	N/A	30%	30%	
7	單價		元	800	800	800	
8	費用		元	300,000	500,000	700,000	
9	薪資支出		元	200,000	400,000	600,000	
10	員工人數		人	1	2	3	
11	平均薪資支出		元	200,000	200,000	200,000	
12	租金		元	100,000	100,000	100,000	
13	營業淨利		元	500,000	540,000	652,000	

一下子就看到單位！

　　設定欄寬的基本原則，是要讓項目裡的文字、數字都能完整地呈現在表格上。接下來，就從最左邊的欄開始，逐一說明何謂正確的欄寬格式吧。

　　請看圖1-18。B欄和C欄是項目底下的細項縮排的欄位，因此欄寬如前文所述，設定為「1」。D欄則應該配合項目的字數調整欄寬，讓字數較多的項目也能完整呈現。單位欄的欄寬設定也一樣。

　　接下來看數字的欄位，如果「第1年」、「第2年」和「第3年」的欄寬不一致，整張表格看起來會很雜亂，因此，必須配合三個欄當中位數最多的數字，設定統一的欄寬。在這張圖中，F、G和H的欄寬都一樣。

　　最後補充一個較細微的部分，就是在表格的最右邊多加上一欄空白欄，可以讓整張表格看起來更舒適而不局促。最後這一欄的欄寬就設定為「3」吧。

圖1-18　設定欄寬的原則

設定欄寬的原則

① 欄寬為1
② 配合項目的字數調整欄寬
③ 配合單位的字數調整欄寬
④ F～H設定相同欄寬，才會整齊
⑤ 最右邊多加上一欄空白欄，讓表格看起來更舒適（欄寬為3）

收益計畫

		第1年	第2年	第3年
銷貨收入	元	800,000	1,040,000	1,352,000
銷貨數量	個	1,000	1,300	1,690
成長率	%	N/A	30%	30%
單價	元	800	800	800
費用	元	300,000	500,000	700,000
薪資支出	元	200,000	400,000	600,000
員工人數	人	1	2	3
平均薪資支出	元	200,000	200,000	200,000
租金	元	100,000	100,000	100,000
營業淨利	元	500,000	540,000	652,000

7 | 表格框線的原則：上下粗、其餘細

　　雖說表格不能沒有框線，但也不是全部都加上框線就可以了。想要做出讓人一目瞭然的表格，也需要明確的框線原則。

　　以圖1-19的上表為例，如果用 Excel 預設的實線，畫出格子狀的框線，所有框線的粗細都一樣，這麼一來，會讓表格中的數字變得不易閱讀。此外，表格本身也顯得很死板。

想要製作出像圖1-19的下表一樣，數字清楚、版面俐落的表格，就要運用不同粗細的線條，才能看的人一目瞭然。表格框線的原則就是，**不要使用太粗的線條，也不要使用多餘的線條**。具體來說，表格的最上端和最下端可以使用粗線，標示出表格的範圍。至於表格中間，只要使用最細的虛線畫橫線即可。

讀到這裡，或許有人會疑惑：「不需要使用直線嗎？」原則上來說，表格是不需要直線的。至於不需要直線的理由，請容我在後續章節再向各位說明。

---

column　　投資銀行使用的Excel有經過特殊設計

投資銀行使用的Excel，比一般的Excel稍微特殊一點，比方說，像剛才介紹的框線設定、欄寬調整等，都只要按一個鍵就能完成修正。這樣的設計，不但能夠加快作業速度，格式也比較不容易亂掉。

此外，公司也為了提高Excel的作業效率做了很多努力，例如設計一套公司內部專用的快速鍵等等。因此，像我這種離開投資銀行後還繼續使用Excel的人，也會因為必須重新熟悉一般預設的快速鍵，或是得逐一修改格式而感到心力交瘁。

圖 1-19 ｜ 線條少一點、細一點

✘ 所有框線的樣式都一樣

	A B C	D	E	F	G	H	I
1							
2	收益計畫						
3				第1年	第2年	第3年	
4	銷貨收入		元	800,000	1,040,000	1,352,000	
5	銷貨數量		個	1,000	1,300	1,690	
6	成長率		%	N/A	30%	30%	
7	單價		元	800	800	800	
8	費用		元	300,000	500,000	700,000	
9	薪資支出		元	200,000	400,000	600,000	
10	員工人數		人	1	2	3	
11	平均薪資支出		元	200,000	200,000	200,000	
12	租金		元	100,000	100,000	100,000	
13	營業淨利		元	500,000	540,000	652,000	

線條太明顯，會妨礙閱讀！

◯ 框線有粗有細

	A B C	D	E	F	G	H	I
1							
2	收益計畫						
3				第1年	第2年	第3年	
4	銷貨收入		元	800,000	1,040,000	1,352,000	
5	銷貨數量		個	1,000	1,300	1,690	
6	成長率		%	N/A	30%	30%	
7	單價		元	800	800	800	
8	費用		元	300,000	500,000	700,000	
9	薪資支出		元	200,000	400,000	600,000	
10	員工人數		人	1	2	3	
11	平均薪資支出		元	200,000	200,000	200,000	
12	租金		元	100,000	100,000	100,000	
13	營業淨利		元	500,000	540,000	652,000	

整體清爽、俐落，容易閱讀！

上表是用 Excel 預設的實線，畫出格子狀的框線；下表只用粗線和細虛線，畫出必要的框線。

圖 1-20　線條的選擇方式

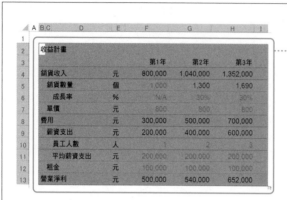

① 選取表格，按右鍵

② 點選「儲存格格式」

③ 上下選擇粗線，中間選擇細線

※ 設定線條時，先在畫面左邊點選線條的樣式，接著在畫面右邊點選畫線的位置

④ 按「確定」

　　文字或數字的位置若參差不齊，也會阻礙閱讀。至於文字或數字應該靠左或靠右對齊，則取決於從哪一端開始讀起。

　　如圖1-21所示，文字的閱讀方向是由左而右。相對於此，數字的閱讀方向則是由右到左。因為一般在看數字的時候，習慣從右邊開始，個、十、百、千、萬……如此計算位數。

圖1-21　**文字靠左對齊，數字靠右對齊**

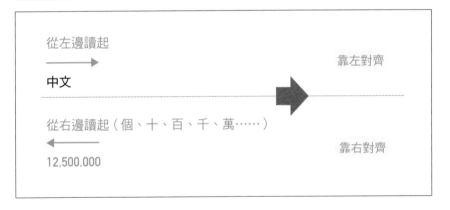

文字和數字對齊的位置，必須以閱讀的起點為準，文字靠左對齊，數字靠右對齊。

　　有的時候，我們會看到像圖1-22這種數字置中的表格，或者就算不是所有數字都置中，也還是會有人把成長率等位數較少的數字置中，但是這麼做只會讓數字難以閱讀，讓表格看起來雜亂，還是別這麼做。

　　數字靠右對齊其實還有一個理由，如圖1-23所示，正確的表格格式其實是沒有直線的，數字全部靠右對齊的話，即使沒有直線，閱讀數字也不會有問題，如此一來，表格也就不必添加多餘的線條，可以顯得簡潔、清楚得多。因此，請務必嚴守這項原則——**刪除不必要的線條**。

　　雖說文字靠左對齊、數字靠右對齊是基本原則，但是，如果完全遵循基本原則，表格中會有一部分變得很突兀，那就是數字欄位上方的項目名稱。如果按照基本原則來設定的話，項目名稱和數字的位置不一致，也就不容易看出兩者之間的關連。

　　在圖1-24的上表中，數字上方的項目名稱「第2年」是靠左對齊，下方的數字則是靠右對齊，這樣的設定雖然沒有違背基本原則，但是反而容易讓人感到困惑，不曉得「第2年」究竟是「800,000」那一欄的項目名稱，還是「1,040,000」那一欄的項目名稱。當表格裡存在太多令人困惑的設定時，閱讀Excel就很容易成為一種壓力。

圖 1-22 │ **數字靠右對齊，才容易辨識位數**

✖ 數字未靠右對齊

	收益計畫				
			第1年	第2年	第3年
銷貨收入		元	800,000	1,040,000	1,352,000
銷貨數量		個	1,000	1,300	1,690
成長率		%	N/A	30%	30%
單價		元	800	800	800
費用		元	300,000	500,000	700,000
薪資支出		元	200,000	400,000	600,000
員工人數		人	1	2	3
平均薪資支出		元	200,000	200,000	200,000
租金		元	100,000	100,000	100,000
營業淨利		元	500,000	540,000	652,000

不容易辨識位數！

⃝ 數字靠右對齊

	收益計畫				
			第1年	第2年	第3年
銷貨收入		元	800,000	1,040,000	1,352,000
銷貨數量		個	1,000	1,300	1,690
成長率		%	N/A	30%	30%
單價		元	800	800	800
費用		元	300,000	500,000	700,000
薪資支出		元	200,000	400,000	600,000
員工人數		人	1	2	3
平均薪資支出		元	200,000	200,000	200,000
租金		元	100,000	100,000	100,000
營業淨利		元	500,000	540,000	652,000

位數一清二楚！

上表的數字置中對齊，不容易看出位數的差異；下表的數字靠右對齊，位數的差異一目瞭然。

圖 1-23　不需要直線的理由

● 數字靠右對齊

	A B C	D	E	F	G	H	I
1							
2	收益計畫						
3				第1年	第2年	第3年	
4	銷貨收入		元	800,000	1,040,000	1,352,000	
5	銷貨數量		個	1,000	1,300	1,690	
6	成長率		%	N/A	30%	30%	
7	單價		元	800	800	800	
8	費用		元	300,000	500,000	700,000	
9	薪資支出		元	200,000	400,000	600,000	
10	員工人數		人	1	2	3	
11	平均薪資支出		元	200,000	200,000	200,000	
12	租金		元	100,000	100,000	100,000	
13	營業淨利		元	500,000	540,000	652,000	

因為靠右對齊，形成直線，就不需要再畫線！

　　為了避免這種情況發生，在設定格式時，唯獨數字欄的項目名稱，文字必須配合數字，靠右對齊，如圖1-24的下表所示。項目名稱靠右對齊，如此一來，就能清楚知道「第2年」是「1,040,000」那一欄的項目名稱了。

圖1-24　項目名稱的文字必須配合數字，靠右對齊

✘ 項目名稱靠左對齊

搞不清楚屬於哪一欄！

	A B C	D	E	F	G	H	I
1							
2	收益計畫						
3				第1年	第2年	第3年	
4	銷貨收入		元	800,000	1,040,000	1,352,000	
5	銷貨數量		個	1,000	1,300	1,690	
6	成長率		%	N/A	30%	30%	
7	單價		元	800	800	800	
8	費用		元	300,000	500,000	700,000	
9	薪資支出		元	200,000	400,000	600,000	
10	員工人數		人	1	2	3	
11	平均薪資支出		元	200,000	200,000	200,000	
12	租金		元	100,000	100,000	100,000	
13	營業淨利		元	500,000	540,000	652,000	

◯ 項目名稱靠右對齊

一律靠右對齊，一目瞭然！

	A B C	D	E	F	G	H	I
1							
2	收益計畫						
3				第1年	第2年	第3年	
4	銷貨收入		元	800,000	1,040,000	1,352,000	
5	銷貨數量		個	1,000	1,300	1,690	
6	成長率		%	N/A	30%	30%	
7	單價		元	800	800	800	
8	費用		元	300,000	500,000	700,000	
9	薪資支出		元	200,000	400,000	600,000	
10	員工人數		人	1	2	3	
11	平均薪資支出		元	200,000	200,000	200,000	
12	租金		元	100,000	100,000	100,000	
13	營業淨利		元	500,000	540,000	652,000	

圖 1-25　文字靠右對齊的設定方式

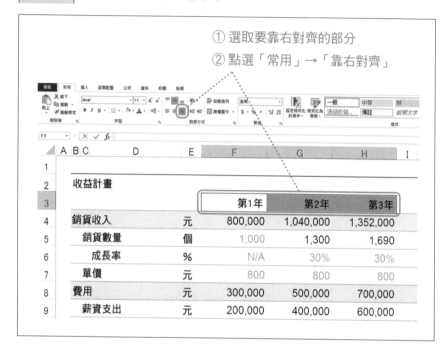

9 ｜ 表格不要從 A1 儲存格開始

　　如圖1-26所示，利用Excel製作表格的時候，很多人習慣從工作表左上角的A1儲存格開始，但是正確的表格格式應該從B2儲存格開始。

　　如果從A1開始的話，一來畫面上看不見上方的框線，二來表格的左側也沒有空間。相對的，從B2開始的話，上方空一列，就能夠看見上方的框線，掌握表格的範圍，此外，左側空一欄，也可以確認是不是有多餘的直線。

圖1-26　表格不要從A1儲存格開始

✖ 從A1儲存格開始的表格

	A B	C	D	E	F	G	H
1	收益計畫						
2				第1年	第2年	第3年	
3	銷貨收入		元	800,000	1,040,000	1,352,000	
4	銷貨數量		個	1,000	1,300	1,690	
5	成長率		%	N/A	30%	30%	
6	單價		元	800	800	800	
7	費用		元	300,000	500,000	700,000	
8	薪資支出		元	200,000	400,000	600,000	
9	員工人數		人	1	2	3	
10	平均薪資支出		元	200,000	200,000	200,000	
11	租金		元	100,000	100,000	100,000	
12	營業淨利		元	500,000	540,000	652,000	

看不到表格的外框！

⭕ 從B2儲存格開始的表格

	A B C	D	E	F	G	H	I
1							
2	收益計畫						
3				第1年	第2年	第3年	
4	銷貨收入		元	800,000	1,040,000	1,352,000	
5	銷貨數量		個	1,000	1,300	1,690	
6	成長率		%	N/A	30%	30%	
7	單價		元	800	800	800	
8	費用		元	300,000	500,000	700,000	
9	薪資支出		元	200,000	400,000	600,000	
10	員工人數		人	1	2	3	
11	平均薪資支出		元	200,000	200,000	200,000	
12	租金		元	100,000	100,000	100,000	
13	營業淨利		元	500,000	540,000	652,000	

可以清楚看見表格的外框！

改變數字和背景的顏色

改變數字的顏色

　　希望製作的Excel表格能夠讓人一目瞭然，色彩是非常重要的要素。因為如果只是單純地羅列數字，對閱讀者來說，還是沒辦法迅速掌握重點。利用色彩來強調，才能讓人明白哪些是重要的數字。但同時，如果使用的色彩太複雜，又很容易讓人看得眼花撩亂。如何在適當的範圍內運用色彩，簡單而明確地標示出需要強調的重點，是運用色彩時的關鍵。以下將介紹三種具體方法，包括數字的顏色、背景的顏色和隱藏框線。

　　一般來說，Excel表格中的數字，可以分為三大類型。**第一類是直接在儲存格輸入的數字，第二類是公式計算出來的數字，第三類是參照其他工作表而來的數字。這三種類型的數字，必須用不同的顏色加以區別，好讓任何人看了都能一目瞭然。**

　　我們會在Excel表格中輸入不同的數字，以進行各式各樣的演算，例如，「當成長率增加10%，銷貨收入會增加多少？」或「如果員工增加兩人的話，營業淨利會增加還是減少？」這些都可以利用Excel來試算。

像這種時候，**我們可以自行調整的部分，只有一開始輸入的數字而已**。因此，如何簡單地區別可更動和不可更動的數字，就很重要了。這就是為什麼我們需要用顏色來區分數字的原因，如此一來，演算時才能夠迅速判斷哪些數字可以更動（圖1-28）。

但是在設定顏色的時候，**如果每個人都隨心所欲地使用不同的顏色，還是會讓其他人在閱讀時感到困惑，因此，對於數字的顏色設定，也必須訂定一套原則**。本書的原則如圖**1-27**所示。

然而，在各位製作的表格裡面，有沒有像圖1-27的④「＝40＋B3」這種算式呢？

圖1-27　**數字的顏色分成三種（很重要！）**

	（例）	（數字的顏色）
① 手動輸入的數字	＝ 40 ＝ 314.2 ＋ 50 ＋ 3	藍色
② 公式計算的數字	＝ A1 ＋ B3	黑色
③ 參照其他工作表的數字	＝ Sheet3!A1	綠色
④ 混合手動輸入和公式計算的數字	＝ 40 ＋ B3	✖

↳ 不可以這樣做！

「＝40＋B3」混合了手動輸入的數字「40」，和參照的儲存格「B3」。其中的「40」可以手動更改，但「B3」卻不行。**像這樣把直接輸入的數字和公式計算的數字混在一起，不但會讓別人混淆，也很容易造成誤算。**若能嚴格遵守數字的色彩區分原則，表格中就不會出現「＝40＋B3」這種無法用顏色區分的算式，有助於避免誤算的情形發生。

column　同是投資銀行，也會有不同的格式原則

　　數字的顏色（手動輸入為藍、公式計算為黑）是投資銀行界共通的原則。然而，其他業界似乎有不同的做法，根據我一位任職於大型會計師事務所的友人所述，他們的原則跟投資銀行正好相反，也就是手動輸入是黑色，計算的結果是藍色。不過，只要可以區別手動輸入和計算的顏色就好，所以我想這個原則也沒什麼問題。

　　順帶一提，哈佛商學院傳授的數字顏色原則，就跟投資銀行使用的一模一樣（手動輸入為藍、計算為黑）。可能就是因為大型投資銀行和商學院都這麼教，才會成為共通的原則吧（但願本書也能成為各位所屬組織的共通原則）。

　　不過，在背景色的部分，即使同是投資銀行界，不同的公司之間也有很大的差異。我想這其中主要的理由，就是因為各家企業在選擇背景色時，都還會搭配公司的代表色。

圖1-28 | 用「藍色」清楚標示出可以更動的數字

✖ 數字的顏色都一樣

	D	E	F 第1年	G 第2年	H 第3年
2	收益計畫				
3			第1年	第2年	第3年
4	銷貨收入	元	800,000	1,040,000	1,352,000
5	銷貨數量	個	1,000	1,300	1,690
6	成長率	%	N/A	30%	30%
7	單價	元	800	800	800
8	費用	元	300,000	500,000	700,000
9	薪資支出	元	200,000	400,000	600,000
10	員工人數	人	1	2	3
11	平均薪資支出	元	200,000	200,000	200,000
12	租金	元	100,000	100,000	100,000
13	營業淨利	元	500,000	540,000	652,000

看不出來哪些是可更動的數字！

⭕ 手動輸入的數字設定為藍色

	D	E	F 第1年	G 第2年	H 第3年
2	收益計畫				
3			第1年	第2年	第3年
4	銷貨收入	元	800,000	1,040,000	1,352,000
5	銷貨數量	個	1,000	1,300	1,690
6	成長率	%	N/A	30%	30%
7	單價	元	800	800	800
8	費用	元	300,000	500,000	700,000
9	薪資支出	元	200,000	400,000	600,000
10	員工人數	人	1	2	3
11	平均薪資支出	元	200,000	200,000	200,000
12	租金	元	100,000	100,000	100,000
13	營業淨利	元	500,000	540,000	652,000

可更動的數字　　*不可更動的數字*

圖 1-29 改變文字色彩的方式

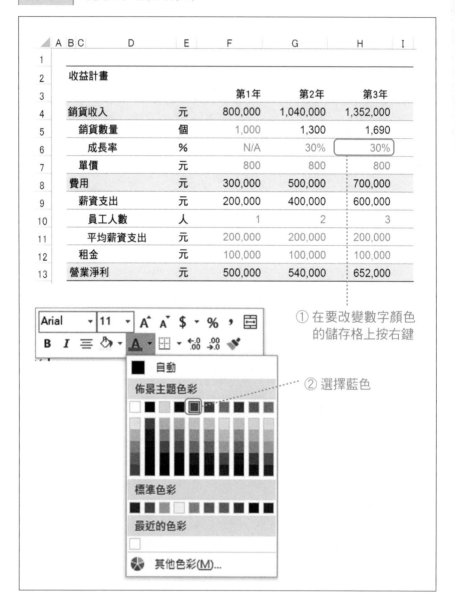

① 在要改變數字顏色的儲存格上按右鍵

② 選擇藍色

　　一張用了多種濃烈色彩的表格會讓人看得眼花撩亂，但是，完全不使用任何色彩，也不見得比較好。一張沒有任何色彩的表格看起來相當呆板。相對的，**如果能夠在重點部分填上色彩，就很容易凸顯你想強調的重點。想讓表格更清楚、更美觀，色彩的運用是很重要的一門功課。**

　　那麼，究竟要用什麼顏色比較好呢？其實這個問題並沒有一定的答案。在選擇色彩的時候，如果能夠搭配企業的標準色（例如商標的顏色），可以讓資料更具整體感。我在投資銀行的時候也是，通常都會配合公司來選擇色彩。所以，在用色方面，不妨就照所屬組織經常使用的顏色來決定。**唯獨要注意的是，盡量避免使用太過濃烈的色彩。如果為了凸顯儲存格而選用濃烈、鮮豔的色彩，反而會使數字看不清楚。然而，數字才是真正的主角，所以選用淡色系是基本原則。**

　　順便提供一些資訊給各位參考，水藍色是很常會用到的顏色。此外，如果有想要強調的項目，也經常會用淡粉紅色作為背景色。

　　顏色最多設定三種即可，要是使用太多種顏色的話，會使表格看起來太過雜亂。

圖 1-30　善用背景色來凸顯重點

✖ 沒有背景色

	A B C	D	E	F	G	H	I
1							
2	收益計畫						
3				第1年	第2年	第3年	
4	銷貨收入		元	800,000	1,040,000	1,352,000	
5	銷貨數量		個	1,000	1,300	1,690	
6	成長率		%	N/A	30%	30%	
7	單價		元	800	800	800	
8	費用		元	300,000	500,000	700,000	
9	薪資支出		元	200,000	400,000	600,000	
10	員工人數		人	1	2	3	
11	平均薪資支出		元	200,000	200,000	200,000	
12	租金		元	100,000	100,000	100,000	
13	營業淨利		元	500,000	540,000	652,000	

表格沒有重點, 很難理解！

◯ 有背景色

	A B C	D	E	F	G	H	I
1							
2	收益計畫						
3				第1年	第2年	第3年	
4	銷貨收入		元	800,000	1,040,000	1,352,000	
5	銷貨數量		個	1,000	1,300	1,690	
6	成長率		%	N/A	30%	30%	
7	單價		元	800	800	800	
8	費用		元	300,000	500,000	700,000	
9	薪資支出		元	200,000	400,000	600,000	
10	員工人數		人	1	2	3	
11	平均薪資支出		元	200,000	200,000	200,000	
12	租金		元	100,000	100,000	100,000	
13	營業淨利		元	500,000	540,000	652,000	

重點一目瞭然！

圖 1-31　在儲存格內填上背景色

	A	B C	D	E	F	G	H	I
1								
2		收益計畫						
3					第1年	第2年	第3年	
4		銷貨收入		元	800,000	1,040,000	1,352,000	
5		銷貨數量		個	1,000	1,300	1,690	
6		成長率		%	N/A	30%	30%	
7		單價		元	800	800	800	
8		費用		元	300,000	500,000	700,000	
9		薪資支出		元	200,000	400,000	600,000	
10		員工人數		人	1	2	3	
11		平均薪資支出		元	200,000	200,000	200,000	
12		租金		元	100,000	100,000	100,000	
13		營業淨利		元	500,000	540,000	652,000	

① 在要改變背景色的
　儲存格上按右鍵

Arial　11　A^ A^ $ ▾ % ，

B　I　≡　◇ ▾　A ▾　□ ▾　←.0 .00 →.0

佈景主題色彩

② 選擇淡色系

標準色彩

最近的色彩

□　無填滿(N)

□　其他色彩(M)...

　　如圖1-32所示，另一項影響表格易讀性的因素，就是格線。這些在儲存格四周的灰線，是為了標示出儲存格的範圍，不過，沒有這些灰線也沒關係，而且隱藏格線，反而能讓數字更明顯。

　　要隱藏格線，有一個非常簡單的方法，就是把表格的背景色設定為「白色」。

　　本來是要從Excel的「檢視」中取消格線，用這個方法當然也沒問題，但我還是習慣把背景色設定為白色。理由很單純，因為很好記。與其要記住每一種方法，不如使用同一種功能來得輕鬆。

圖 1-32 　隱藏格線，讓版面變清爽

✘ 有格線

	A B C	D	E	F	G	H	I
1							
2	收益計畫						
3				第1年	第2年	第3年	
4	銷貨收入		元	800,000	1,040,000	1,352,000	
5	銷貨數量		個		1,300	1,690	
6	成長率		%	N/A	30%	30%	
7	單價		元	800	800	800	
8	費用		元	300,000	500,000	700,000	
9	薪資支出		元	200,000	400,000	600,000	
10	員工人數		人	1	2	3	
11	平均薪資支出		元	200,000	200,000	200,000	
12	租金		元	100,000	100,000	100,000	
13	營業淨利		元	500,000	540,000	652,000	

格線會讓人分心！

○ 無格線

	A B C	D	E	F	G	H	I
1							
2	收益計畫						
3				第1年	第2年	第3年	
4	銷貨收入		元	800,000	1,040,000	1,352,000	
5	銷貨數量		個	1,000	1,300	1,690	
6	成長率		%	N/A	30%	30%	
7	單價		元	800	800	800	
8	費用		元	300,000	500,000	700,000	
9	薪資支出		元	200,000	400,000	600,000	
10	員工人數		人	1	2	3	
11	平均薪資支出		元	200,000	200,000	200,000	
12	租金		元	100,000	100,000	100,000	
13	營業淨利		元	500,000	540,000	652,000	

版面清爽，容易閱讀！

圖 1-33 隱藏格線的方法

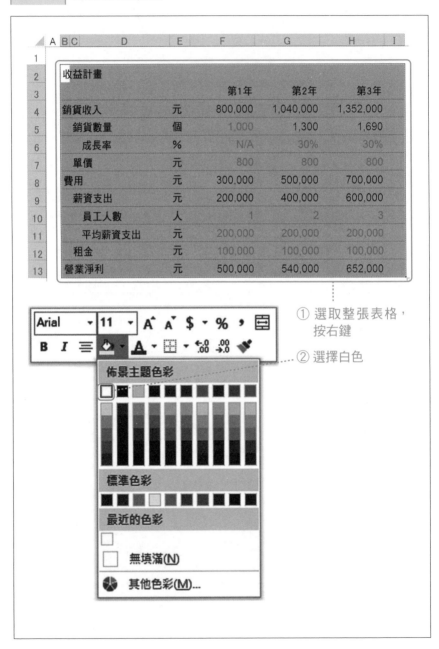

① 選取整張表格，按右鍵

② 選擇白色

1 │ 隱藏欄列

　　Excel 表格中，有些儲存格是自己計算用的，不需要給其他人看，或者其他人看了以後反而會造成混淆，這種時候，就把那些欄或列隱藏起來吧。

　　想要隱藏部分表格時，使用的是「組成群組」的功能。什麼是組成群組呢？接下來就一步一步為各位說明。

　　首先，如圖1-34所示，如果有想要隱藏的列，就先選取列號，接下來點選「資料」的功能區，按一下「組成群組」。

　　請見圖1-35，組成群組以後，只要按一下顯示在列旁邊的減號，組成群組的部分就會像下表一樣收合起來，並顯示出加號的按鈕。在這張表格中，「員工人數」和「平均薪資支出」被隱藏起來了，如果想要取消隱藏的話，再按一下加號的按鈕即可。

圖1-34　利用「組成群組」的功能隱藏欄列

① 選取要隱藏的列
② 點選「資料」→「組成群組」

	收益計畫		第1年	第2年	第3年
2	收益計畫				
3			第1年	第2年	第3年
4	銷貨收入	元	800,000	1,040,000	1,352,000
5	銷貨數量	個	1,000	1,300	1,690
6	成長率	%	N/A	30%	30%
7	單價	元	800	800	800
8	費用	元	300,000	500,000	700,000
9	薪資支出	元	200,000	400,000	600,000
10	員工人數	人	1	2	3
11	平均薪資支出	元	200,000	200,000	200,000
12	租金	元	100,000	100,000	100,000
13	營業淨利	元	500,000	540,000	652,000

　　順帶一提，想要隱藏儲存格時，也可以利用「隱藏」的功能，但我不建議用這種方式。「隱藏」的功能雖然和「組成群組」很像，但是使用「隱藏」的功能，就不會產生「加號」和「減號」的按鈕，從表格上完全看不出哪裡有隱藏起來的儲存格。第一次看到這張表格的人，不會注意到有隱藏起來的儲存格，這其實會造成不小的壓力，因此請務必使用「組成群組」的功能，來代替「隱藏」的功能。

圖 1-35　點一下「-」即可隱藏

	A B C	D	E	F	G	H	I
1							
2	收益計畫						
3				第1年	第2年	第3年	
4	銷貨收入		元	800,000	1,040,000	1,352,000	
5	銷貨數量		個	1,000	1,300	1,690	
6	成長率		%	N/A	30%	30%	
7	單價		元	800	800	800	
8	費用		元	300,000	500,000	700,000	
9	薪資支出		元	200,000	400,000	600,000	
10	員工人數		人	1	2	3	
11	平均薪資支出		元	200,000	200,000	200,000	
12	租金		元	100,000	100,000	100,000	
13	營業淨利		元	500,000	540,000	652,000	

點一下「-」
「員工人數」和「平均薪資支出」就隱藏起來了

	A B C	D	E	F	G	H	I
1							
2	收益計畫						
3				第1年	第2年	第3年	
4	銷貨收入		元	800,000	1,040,000	1,352,000	
5	銷貨數量		個	1,000	1,300	1,690	
6	成長率		%	N/A	30%	30%	
7	單價		元	800	800	800	
8	費用		元	300,000	500,000	700,000	
9	薪資支出		元	200,000	400,000	600,000	
12	租金		元	100,000	100,000	100,000	
13	營業淨利		元	500,000	540,000	652,000	

有些時候，表格當中也會有不需要填入任何資料的儲存格。但是，如果一直空在那裡不管的話，在製作表格的過程中，很容易分神去想那些儲存格究竟是「之後要計算出數字的儲存格」，還是「不需要填入資料的儲存格」。

為了消除這種不必要的壓力，我會在不需要填入任何資料的儲存格中填入「N/A」。「N/A」是 not applicable（不適用）的縮寫，代表此處不需要填入資料。如圖1-36的下表所示，因為第一年沒有成長率，第一年的成長率那一欄就是「N/A」。

column　什麼時候會用到縮寫「N/M」

除了「N/A」，另一種常用的縮寫是「N/M」，這是 not meaningful 的縮寫，在此簡單說明一下。

舉例而言，假設第一年的銷貨收入是100萬元，第二年是150萬元，那麼成長率就是50%。但是，如果第一年的銷貨收入是0元的話呢？在這種情況下，我們就無法計算成長率了（因為除數不能為0）。

此時，成長率的儲存格就可以填入N/M。像這種「無法計算」、「計算結果沒有意義」的情況，都可以記載為N/M。這種表記方式，偶爾也會出現在美國上市公司的財報裡。

圖1-36　不填入數字的儲存格要標示「N/A」

✖ 留著空白

A B C	D	E	F	G	H	I
1						
2 收益計畫						
3			第1年	第2年	第3年	
4 銷貨收入		元	800,000	1,040,000	1,352,000	
5 　銷貨數量		個	1,000	1,300	1,690	
6 　　成長率		%		30%	30%	
7 　　單價		元	800	800	800	
8 費用		元	300,000	500,000	700,000	
9 　薪資支出		元	200,000	400,000	600,000	
10 　　員工人數		人	1	2	3	
11 　　平均薪資支出		元	200,000	200,000	200,000	
12 　租金		元	100,000	100,000	100,000	
13 營業淨利		元	500,000	540,000	652,000	

這裡要填入數字嗎？搞不清楚！

◯ 標示「N/A」

A B C	D	E	F	G	H	I
1						
2 收益計畫						
3			第1年	第2年	第3年	
4 銷貨收入		元	800,000	1,040,000	1,352,000	
5 　銷貨數量		個	1,000	1,300	1,690	
6 　　成長率		%	N/A	30%	30%	
7 　　單價		元	800	800	800	
8 費用		元	300,000	500,000	700,000	
9 　薪資支出		元	200,000	400,000	600,000	
10 　　員工人數		人	1	2	3	
11 　　平均薪資支出		元	200,000	200,000	200,000	
12 　租金		元	100,000	100,000	100,000	
13 營業淨利		元	500,000	540,000	652,000	

一看就知道這裡不需要填入數字！

Excel表格必須在工作表中完成，依照正確的格式原則，每一份表格都應該根據內容設定工作表的名稱。如果有空白的工作表，也要刪除。

如果不刪除多餘的工作表，其他人說不定會特地點開來，想確認裡頭是不是還有其他資料。這麼一來，不但浪費大家的時間，也是造成閱讀壓力的原因之一。所以請把空白的工作表刪除吧。

至於工作表的部分，第二章會有更詳細的說明。

圖1-37　**工作表也要設定原則**

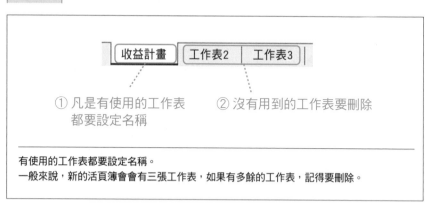

① 凡是有使用的工作表都要設定名稱　② 沒有用到的工作表要刪除

有使用的工作表都要設定名稱。
一般來說，新的活頁簿會有三張工作表，如果有多餘的工作表，記得要刪除。

有了正確的格式原則，實際在操作的時候，還是會煩惱到底何時才是統整格式的最佳時機。如果等到資料全部輸入完畢以後，才開始統整格式，有時候反而會弄亂欄或列，把情況搞得更麻煩。然而，如果想在輸入資料前，就先把格式設定好，但這時候表格還是一片空白，不曉得文字或數字的長度，也無法決定欄寬。**因此，我建議的做法是，一邊輸入資料或進行運算，一邊調整格式設定。**

為什麼不建議其他做法呢？以下就用圖表來為各位說明。圖1-38是先輸入資料再統整格式的例子，按照這樣的做法，一開始先不考慮格式，直接輸入資料或進行運算。但是，一張未設定格式的表格，對製表的人來說也很難掌握，在這樣的狀態下輸入資料或進行運算，很容易弄錯位置，實在不能算是聰明的做法。

相對於此，圖1-39的例子是一邊輸入資料，一邊進行相關的格式設定。例如，一開始輸入項目名稱後，就先調整與項目名稱有關的格式，也就是列高和欄寬等。接下來，輸入數字以後，便替數字加上千分位符號和顏色。然後配合數字的位置，將每一欄的項目名稱靠右對齊。

像這樣，每次輸入資料或進行計算的時候，先設定好相關的格式，就能確保在操作時，不會因為格式的問題，造成輸入的失誤。

圖1-38　統整格式的錯誤時機

✖ 計算全部完成後，再統整格式

	A B C	D	E	F	G	H
1						
2	收益計畫					
3				第1年	第2年	第3年
4	銷貨收入		元	800000	1040000	1352000
5	銷貨數量		個	1000	1300	1690
6	成長率		%	N/A	0.3	0.3
7	單價		元	800	800	800
8	費用		元	300000	500000	700000
9	薪資支出		元	200000	400000	600000
10	員工人數		人	1	2	3
11	平均薪資支出		元	200000	200000	200000
12	租金		元	100000	100000	100000
13	營業淨利		元	500000	540000	652000

在未統整格式的狀態下進行計算，可能會出錯！

	A B C	D	E	F	G	H	I
1							
2	收益計畫						
3				第1年	第2年	第3年	
4	銷貨收入		元	800,000	1,040,000	1,352,000	
5	銷貨數量		個	1,000	1,300	1,690	
6	成長率		%	N/A	30%	30%	
7	單價		元	800	800	800	
8	費用		元	300,000	500,000	700,000	
9	薪資支出		元	200,000	400,000	600,000	
10	員工人數		人	1	2	3	
11	平均薪資支出		元	200,000	200,000	200,000	
12	租金		元	100,000	100,000	100,000	
13	營業淨利		元	500,000	540,000	652,000	

圖1-39　統整格式的正確時機

一邊進行計算，一邊統整格式

① 輸入項目名稱後，隨即設定列高、欄寬

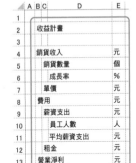

② 輸入數字後，隨即設定數字的顏色

讓全公司貫徹格式原則

到目前為止，我們已經說明了正確的格式和設定的方式，但光是制定一套格式原則還不夠，如何貫徹格式原則才是最重要的。不過，這也是一道難題。

或許因為工作繁忙的關係，許多商務人士在製作Excel表格的時候，無法完全顧及細節的格式設定，或是在想不起格式原則時，就隨便應付過去。然而，如果一直抱持如此草率的態度，好不容易制定的格式原則，也會變成一套空殼，無人遵守。

為了避免這種結果，我建議透過以下三個步驟，讓格式原則在公司內部得以貫徹。

① 明文規定格式原則
② 成員之間互相糾正格式上的錯誤
③ 定期檢討原則

第一項「明文規定」的意思，就是製作一本詳盡的原則手冊。投資銀行一定都有一本這樣的原則手冊。話雖如此，要從零開始製作團隊專屬的原則手冊，是一件相當費工夫的事。因此，在最初的階段，不妨就套用本書介紹的格式，然後，一定要貫徹這些原則。

圖1-40　在團隊內部貫徹格式原則

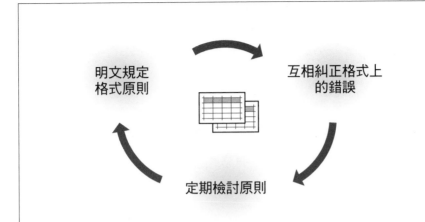

明文規定
格式原則

互相糾正格式上
的錯誤

定期檢討原則

反覆進行「明文規定格式原則」、「互相糾正格式上的錯誤」和「定期檢討原則」這三個
步驟，讓格式原則得以貫徹。

　　最麻煩的問題是，有些人在使用Excel時，會任意選用自己偏好的格式，還堅持「我就是喜歡這樣的格式」，無視團隊的規定。如果容許這種事情發生，團隊整體的Excel作業效率將永遠無法提升，所以一定要嚴格規範，不可以輕易放任例外情形發生。

　　想要團隊成員確實遵守格式原則有幾個方法。首先是透過公司內部的培訓課程，讓員工知道公司有這些規定。尤其，Excel的作業多半是交由資歷較淺的員工處理，因此不妨多花點時間在新進員工的培訓上。附帶一提，在外商投資銀行，東京分公司的新進員工通常會前往紐約或倫敦，接受三週左右的培訓，而其中多數時間都是在學習如何利用Excel製作財務模擬模型。

另外，活用外部講師也是一個有效的方法。就算在公司內部一再強調：「這樣的格式比較容易閱讀。」還是會有員工心裡想：「連一個小細節都要規定，真是麻煩！」為了消除這些想法，由外部專家嚴厲表明：「身在組織當中，如果做不出讓人一目瞭然的表格，就是失職的商務人士！」這樣效果會更好。

第二項是「成員之間互相糾正格式上的錯誤」，讓團隊成員互相檢視對方製作的表格，如果有格式上的錯誤，便互相糾正。每個人遵守規則的程度可能因人而異，有做事兢兢業業的人，也有沒那麼拘泥細節的人。同時，糾正他人的錯誤也不是一件容易的事，有時候即使發現錯誤，也很容易因為「一點點格式上的錯誤就算了吧」這樣的心態，而不加以指正。

不過，要是一直這樣放任不管，到最後大家都照自己的方式在製作表格，原先訂定的規則也就變得沒有意義。因此，想要在團隊內部貫徹格式原則，一定要養成習慣，嚴厲地檢視彼此的表格，如果有看到跟格式原則不符的情況，請毫不諱言地互相糾正吧。

當我們在檢查別人製作的表格格式時，也會提醒自己不可以出錯，對自己更加嚴格，是一種一石二鳥的方法。

順帶一提，在投資銀行工作時，我們會很仔細、很嚴格地檢視表格格式。在簡報三十分鐘前被上司發現格式有誤，趕緊抽換掉錯誤的頁面，類似的情況屢見不鮮。沒時間抽換頁面的話，先把正確的表格列印出來，然後在搭計程車前往客戶公司的路上，在車上把

握時間更換，這種突發狀況對我來說也是家常便飯了。當時我曾經懷疑：「有必要這麼吹毛求疵嗎？」然而，一旦開始容許細微的錯誤，久而久之，整體的格式都會走樣了。因此，即使是非常細微的錯誤，也絕對不能容許。

團隊全員都要有這樣的觀念 —— 格式的鬆懈，就是心態的鬆懈；格式的錯誤，是團隊全體的責任。

第三項是「定期檢討」，也就是要定期確認或修正原則。成員之間互相糾正錯誤的過程中，一定會發現一些可改善之處，覺得：「那樣做會不會更好？」因此要定期安排檢討會議，讓格式原則持續進化。

具體方法是指定一人為格式原則的負責人，除了負責制定原則之外，還要定期檢討原則。以大約每六個月一次的頻率召集團隊成員，以這段期間內完成的 Excel 表格為參考依據，討論是要維持原本的規定，還是要更改原則。達成結論之後，負責的人再據此改訂原則。能夠定期檢討是最理想的，希望團隊持續貫徹 Excel 表格的格式原則，最好有人負起鞭策的責任。

或許各位會認為，要貫徹原則是一件很困難的事。但其實，這過程並沒有大家想像中那麼漫長，通常只需要半年左右，就可以從規定變成常識，屆時團隊都使用相同的格式，也不再是一件折磨人的事。久而久之，當習慣成自然，不但能夠根據標準格式迅速完成表格，也能夠正確理解其他人製作的表格。

格式要發揮成效，不能只是用頭腦去理解，還要用身體去記憶。當團隊開始落實共用的格式原則，一定要達到這樣的境界。

| column | 如何把Excel表格貼在PowerPoint的投影片上 |

有時候，我們需要把Excel表格貼在PowerPoint的投影片上，以進行簡報或當作附件資料。但是，如果直接複製Excel表格，貼在投影片上，會發生以下的問題：

1. 格式會跑掉
因為被套用上PowerPoint投影片的格式，原本設定的字型或色彩會跑掉。

2. 可以在投影片上編輯
如果只是單純的「複製貼上」，表格貼在投影片上之後，還是可以在PowerPoint上編輯數字或文字。這一點雖然方便，卻有可能造成後續的問題。

假設我們在簡報前臨時更改數字，由於時間緊迫，便直接在PowerPoint上更改。要是幾天後，上司或客戶問起：「Excel表格和投影片上的表格數字為什麼不一樣？」那就麻煩了。很有可能自己也忘記更動過哪些地方，讓一件單純的事變得很複雜。

為了避免這些問題發生，我們應該把Excel表格以圖像的形式貼在投影片上。如此一來，投影片上只會呈現Excel計算的表格，不能在PowerPoint上編輯，也就不會搞不清楚計算的根據。

圖1-41　把Excel表格貼在PowerPoint上的方法

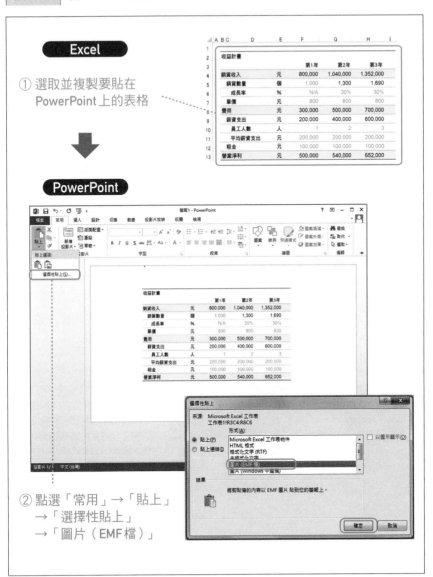

① 選取並複製要貼在
　　PowerPoint上的表格

② 點選「常用」→「貼上」
　　→「選擇性貼上」
　　→「圖片（EMF檔）」

到目前為止，我們已經了解什麼是正確的 Excel 格式。

我當然很希望各位能將手邊正在進行的 Excel 表格修改成正確的格式，但這也不是馬上就能上手的事。因此，我決定先出一道練習題。

我們一起來把一張不太容易閱讀的 Excel 表格，修改成讓人一目瞭然。格式的原則就如同我先前的說明一樣，各位在解題的時候，就當作複習吧。

＜題目＞

次頁的表格，是一家汽車銷售廠商未來三年期間的業務人員計畫。

這家公司對業務人員的預期銷售數量是每人每年十輛，每輛的銷貨收入是一百萬元，平均薪資支出是每人五百萬元。

假設員工人數第一年是三人，第二年增加為四人，第三年增加為五人，我們可以估算出未來三年能產生多少收益。

✖ 修正前

	A B C	D	E	F	G	H	I
1	營業計畫						
2				第1年	第2年	第3年	
3	銷貨收入（千元）			30000	40000	50000	
4	單價（千元）			1000	1000	1000	
5	銷貨數量（輛）			30	40	50	
6	業務人數（人）			3	4	5	
7	業務平均銷貨數量（輛）			10	10	10	
8	薪資支出（千元）			15000	20000	25000	
9	業務人數（人）			3	4	5	
10	業務平均薪資支出（千元）			5000	5000	5000	
11	營業淨利（千元）			15000	20000	25000	

○ 修正後

	A B C D	E	F	G	H	I	J
1							
2	營業計畫						
3				第1年	第2年	第3年	
4	銷貨收入		千元	30,000	40,000	50,000	
5	單價		千元	1,000	1,000	1,000	
6	銷貨數量		輛	30	40	50	
7	業務人數		人	3	4	5	
8	業務平均銷貨數量		輛	10	10	10	
9	薪資支出		千元	15,000	20,000	25,000	
10	業務人數		人	3	4	5	
11	業務平均薪資支出		千元	5,000	5,000	5,000	
12	營業淨利		千元	15,000	20,000	25,000	

我們先看這張表格：

	A B C	D	E	F	G	H	I
1	營業計畫						
2				第1年	第2年	第3年	
3	銷貨收入（千元）			30000	40000	50000	
4	單價（千元）			1000	1000	1000	
5	銷貨數量（輛）			30	40	50	
6	業務人數（人）			3	4	5	
7	業務平均銷貨數量（輛）			10	10	10	
8	薪資支出（千元）			15000	20000	25000	
9	業務人數（人）			3	4	5	
10	業務平均薪資支出（千元）			5000	5000	5000	
11	營業淨利（千元）			15000	20000	25000	

首先，我們要讓數字更容易閱讀。

① 列高統一設定為18（詳見 P.30）

② 數字字型統一設定為 Arial（詳見 P.34）

③ 數字加上千分位符號（詳見 P.38）

	A B C	D	E	F	G	H	I
1	營業計畫						
2				第1年	第2年	第3年	
3	銷貨收入（千元）			30,000	40,000	50,000	
4	單價（千元）			1,000	1,000	1,000	
5	銷貨數量（輛）			30	40	50	
6	業務人數（人）			3	4	5	
7	業務平均銷貨數量（輛）			10	10	10	
8	薪資支出（千元）			15,000	20,000	25,000	
9	業務人數（人）			3	4	5	
10	業務平均薪資支出（千元）			5,000	5,000	5,000	
11	營業淨利（千元）			15,000	20,000	25,000	

接下來，由於表格的線條太多了，項目名稱也沒有整理過，下一個步驟就是修改這些部分。

④ 表格不能從A1儲存格開始（詳見P.56）

⑤ 依照不同項目，向右縮排（詳見P.41）

⑥ 上下框線粗、其餘細；不使用直線（詳見P.47）

ABCD	E	F	G	H	I	J
營業計畫						
			第1年	第2年	第3年	
銷貨收入（千元）			30,000	40,000	50,000	
單價（千元）			1,000	1,000	1,000	
銷貨數量（輛）			30	40	50	
業務人數（人）			3	4	5	
業務平均銷貨數量（輛）			10	10	10	
薪資支出（千元）			15,000	20,000	25,000	
業務人數（人）			3	4	5	
業務平均薪資支出（千元）			5,000	5,000	5,000	
營業淨利（千元）			15,000	20,000	25,000	

這樣看起來就清楚多了吧！

再來，由於單位不明顯，數字的位數也沒有對齊，所以針對這些部分進行修正。

⑦ 單位單獨放在一欄（詳見P.44）

⑧ 數字靠右對齊（詳見P.51）

	A	B	C	D	E	F	G	H	I	J
1										
2		營業計畫								
3							第1年	第2年	第3年	
4		銷貨收入				千元	30,000	40,000	50,000	
5			單價			千元	1,000	1,000	1,000	
6			銷貨數量			輛	30	40	50	
7				業務人數		人	3	4	5	
8				業務平均銷貨數量		輛	10	10	10	
9		薪資支出				千元	15,000	20,000	25,000	
10			業務人數			人	3	4	5	
11			業務平均薪資支出			千元	5,000	5,000	5,000	
12		營業淨利				千元	15,000	20,000	25,000	

最後，設定數字和儲存格的顏色。

⑨ 手動輸入的數字改為藍色（詳見P.58）

⑩ 要強調的儲存格改為淡藍色（詳見P.63）

	A	B	C	D	E	F	G	H	I	J
1										
2		營業計畫								
3							第1年	第2年	第3年	
4		銷貨收入				千元	30,000	40,000	50,000	
5			單價			千元	1,000	1,000	1,000	
6			銷貨數量			輛	30	40	50	
7				業務人數		人	3	4	5	
8				業務平均銷貨數量		輛	10	10	10	
9		薪資支出				千元	15,000	20,000	25,000	
10			業務人數			人	3	4	5	
11			業務平均薪資支出			千元	5,000	5,000	5,000	
12		營業淨利				千元	15,000	20,000	25,000	

這樣就大功告成了！到這裡就能很明顯地看出來，改過格式之後，表格給人的印象多麼不同！

我在這一章不斷強調格式的重要性，表格要做得美觀、易讀，但投資銀行的人注重的可不僅限於 Excel 的外觀而已。就拿服裝來說好了，我剛進入摩根士丹利的時候，上司也曾叮囑我注意身上的服裝……

①別穿掛架衣

一開始聽到「掛架衣」的時候，我丈二金剛摸不著頭緒，一查之下才知道，原來掛架衣指的就是成衣。換句話說，別穿掛架衣，就是要我穿訂製西裝的意思。

話雖如此，兩袖清風的社會新鮮人哪有錢訂製西裝呢？所以我回絕了這項指示。

②襪子要穿長筒襪

為什麼要穿長筒襪呢？如果穿一般的襪子，坐下來的時候，褲管縮起會露出腿毛，上司堅稱這在客戶面前是很失禮的行為。客戶確實是有可能覺得礙眼，所以我決定穿穿看長筒襪。

可是長筒襪在夏天真的很熱！已經身在必須穿西裝打領帶的金融業界了，竟然還要再加一雙長筒襪，真是太辛苦了！結果，我還是回絕了這項指示。

③領撐

應該很多人都知道領撐是什麼吧？就是要放在襯衫領子內側的配件。由於襯衫的領子很容易彎曲變形，因此可以用像下頁照片中這種金屬製或塑膠製的領撐，塞進領子內側，讓領子保持挺立。上司

指示說：「領子挺，西裝看起來也會更俐落！」說得有理，而且價格也沒那麼貴，所以我就立刻掏錢買了。

不幸的是，最後我還是沒有養成使用領撐的習慣。為什麼呢？因為投資銀行的工作量實在太大了，在沒時間運動又喜歡靠食物抒壓的情況下，我進公司沒多久就胖了一圈。人一胖，脖子周圍就變得很緊繃，金屬製的領撐常常會刺到我的脖子或鎖骨，很痛。

因為種種原因，關於服裝的部分，我一項都沒遵從上司的指示。不過，在投資銀行，西裝穿不好並不會被解雇，但要是不會使用Excel，就真的會被炒魷魚。

以上就是有關外商投資銀行注重外表的故事。

看到領撐，就會回想起投資銀行時代的事

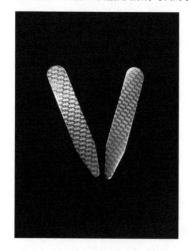

第 2 章

零失誤的 Excel
——掌握檢查的原則，從此不再為失誤懊惱

投資銀行絕對不容許誤算

投資銀行絕對不容許發生的事，就是誤算。舉例來說，在提供企業併購諮詢服務時，我們會計算併購的金額，以外商投資銀行接下的案子來說，少則數百億，多則上看數兆之譜。當然，我們會用Excel進行縝密的計算，但是過程中如果出現任何一點小差錯，就有可能造成數億、甚至數十億的誤差。

客戶希望投資銀行提供的是零誤差的計算。萬一真的出現誤算的情況，不僅會失去客戶的信賴，還有可能被要求損害賠償。因此，投資銀行為了避免誤算，會花大量的時間在檢查工作上。

對於實際在投資銀行工作的人來說，計算是一件壓力非常大的事情。我們常聽到「汗水與淚水的結晶」，但投資銀行的計算工作根本就是「冷汗與淚水的結晶」。

雖然事到如今，我已經可以輕鬆地說出：「絕對不能有誤算。」但是當年我還在投資銀行的時候，可是害怕到常常會心想：「最好不要讓我接觸任何計算工作。」工作到深夜回家，睡前還會突然想到：「那裡會不會算錯了？」落得整晚無法入睡。

儘管如此，我們還是必須克服這樣的壓力，完成零誤差的計算。這也是為什麼大家會說投資銀行的工作很辛苦的原因之一。

　　那麼，投資銀行為了避免誤算，做了哪些努力呢？以下就來介紹投資銀行的祕訣吧。

| 圖2-1 | 避免 Excel 誤算，徹底落實的三大法則 |

1　只做簡單易懂的計算

2　徹底執行檢查工作

3　徹底執行團隊合作

避免 Excel 誤算的三大法則

要避免 Excel 誤算有三大法則。

法則一，只做簡單易懂的計算。也就是要盡量簡化計算。因為計算越複雜，越容易出錯，所以最好簡單到任何人都看得懂。

法則二，徹底執行檢查工作。不論計算再怎麼簡單，也很難避免人為失誤，因此，徹底執行檢查工作是很重要的。

法則三，徹底執行團隊合作。關於這點，或許各位還沒有注意到，比起個人的失誤，誤算的起因，更多是來自團隊內部的溝通不良。Excel 是團隊共同完成的工作，因此，如果不把避免誤算的措施提升到團隊的層次，將永遠無法排除誤算的情況。制定一套避免誤算的嚴格規則，讓團隊全員共同遵守，並適應這樣的文化。

關於法則一「只做簡單易懂的計算」，這裡就再詳細說明一下吧。想要盡量簡化計算，最重要的是把手動輸入的數字和算式確實區分開來。

圖2-2是一張預估銷售量的表格，每年的銷售量都比前一年增加500個。若要問上表和下表哪一張比較清楚，很明顯是下表，對吧？

雖然上表也看得出來銷售量逐年成長，但完全看不出計算的依據是什麼。有可能是用每年增加500個來計算，但也有可能是用50%的成長率來計算。如此難以理解的原因，正是因為算式中包含了手動輸入的數字。

相對於此，下表把銷售量和本年度增加量確實區分開來，所以可以很清楚地知道，兩項相加即可得到第二年的銷售量。

另外，把算式和手動輸入的數字分開，要進行模擬也比較容易。像下表這樣，把算式和手動輸入的數字分開，之後只要更改本年度增加量，就可以模擬銷售量。然而，上表卻必須更動算式中的數字才行。

再者，把算式和手動輸入的數字分開，如果輸入錯誤的數字也比較容易發現。舉例來說，表格中第三年那一欄的本年度增加量是「500」，假設不小心輸入成「600」好了，這個情況下，下表也比上表更容易發現錯誤。在上表中，如果沒有顯示出算式，就不會注意到增加量的數字有誤。

我在第一章建議把手動輸入的數字設定為「藍色」，計算的數字設定為「黑色」，就是為了避免發生像上表那樣的情況。如果我們腦海中一直記得「手動輸入為藍」、「計算為黑」，當手動輸入的數字和算式混在一起的時候，就會驚覺：「啊，這樣不行！」

為了隨時意識到要區分手動輸入的數字和算式，也請養成區分文字色彩的習慣吧。

圖2-2　算式當中不可以有手動輸入的數字

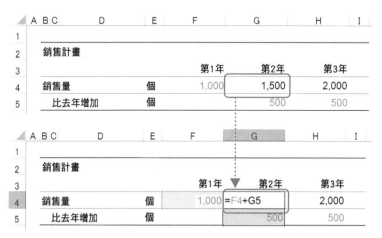

✖ 算式中有手動輸入的數字

看不懂！500是什麼？

⭕ 算式和手動輸入的數字分開

可以清楚看出計算的依據！

2 | 避免使用太長的算式

何謂太長的算式？就是在一個儲存格內，一口氣完成複雜的計算，通常頭腦越好的人，越容易這麼做，但這卻極有可能造成誤算。請見圖 2-3，儲存格 G13 的算式即為一例。

使用這麼長的算式，第一次看到這表格的人完全無法理解這是在計算什麼，想要檢查也很困難。**製作 Excel 最重要的一點，就是**

| 圖 2-3 | **算式不可以太長** |

	A B C	D	E	F	G	H	I
1							
2	收益計畫						
3				第1年	第2年	第3年	
4	銷貨收入		元	800,000	1,040,000	1,352,000	
5	銷貨數量		個	1,000	1,300	1,690	
6	成長率		%	N/A	30%	30%	
7	單價		元	800	800	800	
8	費用		元	300,000	500,000	700,000	
9	薪資支出		元	200,000	400,000	600,000	
10	員工人數		人	1	2	3	
11	平均薪資支出		元	200,000	200,000	200,000	
12	租金		元	100,000	100,000	100,000	
13	營業淨利		元	500,000	=G5*G7-(G9+G12)		

計算太長，難以理解！

儲存格 G13 為了算出營業淨利，設定「銷貨數量×單價－（薪資支出＋租金）」，這樣的算式就太複雜了。

要讓任何人都看得懂，所以只要其中有任何一道算式太長，都算是失敗的 Excel。基本上，每一個計算的步驟都要很清楚，總之，越簡單越好。像例子中 G13 的算式，除了製表者本人以外，沒有人看得懂，這種獨善其身的計算可是大忌。

算式越簡單越好，「這個儲存格加這個儲存格，等於這個儲存格」，或是「這個儲存格乘以這個儲存格，等於這個儲存格」，像這樣一步一步仔細計算，才是簡單易懂的計算。

| column | 這個 Excel 太恐怖了，我不敢碰！

在投資銀行有一句慣用語：「這個 Excel 太恐怖了，我不敢碰！」

比方說，當我用 Excel 完成計算，交給上司或前輩看的時候，要是計算太過複雜或太難理解的話，上司或前輩就無法修正 Excel。因為一旦更改算式，有可能會牽動整張表格，導致誤算的情況發生。這種時候，他們就會說：「這個 Excel 太恐怖了，我不敢碰，你能不能把它改得更簡單、更清楚一點？」

「只做簡單易懂的計算」這觀念在投資銀行已根深蒂固，所以才會產生這獨有的說法。

3 | 畫出工作表的架構

在舉辦企業訓練的時候，我發現，許多人因為無法掌握工作表的架構，而難以全盤理解 Excel 的內容。製表時，如果沒有意識到工作表的排列順序，就有可能發生這種情況。

一個 Excel 檔案裡可能有多張工作表，我們通常都會看工作表的索引標籤，來了解每一張工作表在計算什麼，以及工作表之間的關連。因此，要是工作表沒有依照順序排列，要掌握每一張工作表的內容或目的，就會變得很困難。

為了避免這樣的情況發生，最好的解決方式，就是畫一張工作表的架構圖，就放在檔案的第一頁，明確標示出這份檔案裡有哪些工作表，哪張工作表又是哪張工作表的計算依據。圖 2-4 就是架構圖的例子。

工作表數量不多的時候，不畫架構圖或許還看得懂；但是，當工作表數量多到一定程度的時候，架構圖就不可或缺了。有了工作表的架構圖，即使是第一次看到檔案的人，也能迅速理解這份 Excel 的計算程序。

此外，一旦養成畫架構圖的習慣，在 Excel 作業進行時，每次要製作新的工作表前，就會先思考這張工作表的用途：「這張工作表要做什麼呢？」如此一來，就不會浪費時間製作多餘的表格。

圖 2-4 ｜ 繪製簡單的工作表架構圖

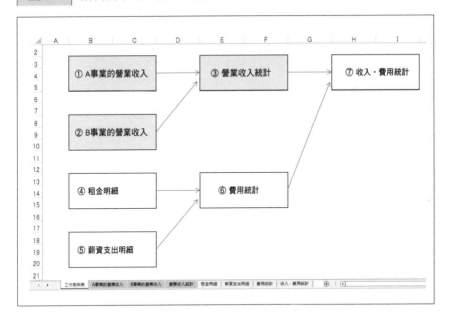

那麼，關於工作表的架構，應該要注意些什麼呢？這也有三大法則：

① 工作表「由左向右」計算
② 工作表用顏色分類
③ 不可以隱藏工作表

　　要做出整體架構清楚的 Excel，首先，要隨時提醒自己注意工作表的排列順序。思考排列順序時，最重要的是要配合計算的程序，因為計算的方向是由左而右，所以工作表的排列也應該由左而右。基本上都應該從左側的工作表向右側的工作表進行，如此一來，也比較容易記住工作表的每一個程序。

　　有不少人認為，把計算的彙總表當成第一張工作表，放在最左邊，比放在最右邊來得好。確實，當成第一張工作表的話，一打開 Excel 就可以看見彙總表了，不過，我不建議這這麼做。因為這樣一來，計算的方向就顛倒過來了，明明是由左而右計算，最後的彙總卻跑到最左邊來了。這樣的排列不符合計算的程序，很容易讓人感到混亂。

　　對閱讀的人來說，理解 Excel 的計算程序是一件相當費神的事，通常只能依靠工作表的索引標籤的順序去理解。正因為如此，我們才要讓工作表的順序配合計算的方向，製作出讓閱讀者能夠快速理解的 Excel。

5 | 把工作表標上顏色

在架構圖中，把工作表分類，並標上不同的顏色，這樣一來，每一張工作表屬於什麼類型就能一目瞭然。比方說，與營業收入有關的工作表，包括A事業的營業收入表、B事業的營業收入表和營業收入統計表，將這三張表標上同樣的顏色，這麼一來，就能清楚知道這三張工作表都是屬於營業收入。

除此之外，還要把每一張工作表的索引標籤設定成和架構圖中一樣的顏色，請見圖2-5。換句話說，如果在架構圖中，與營業收入有關的工作表都設定為水藍色的話，那些工作表的索引標籤也應該同樣設定為水藍色，這樣就能很快地找到對應的工作表。

此時，也會有一些無法分類的工作表，這些工作表不必設定顏色也沒關係。

圖2-5 **設定工作表索引標籤色彩的方法**

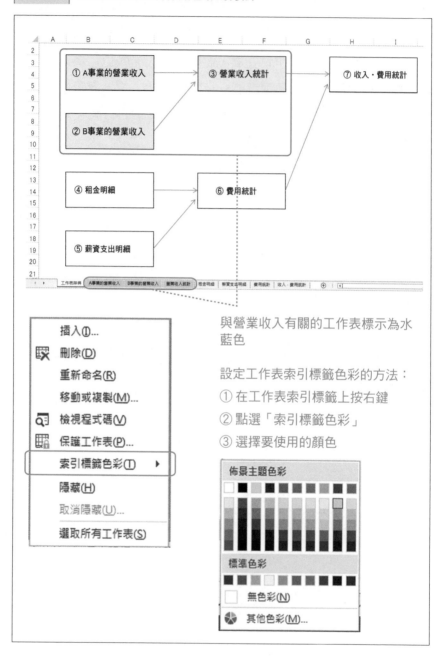

與營業收入有關的工作表標示為水藍色

設定工作表索引標籤色彩的方法：
① 在工作表索引標籤上按右鍵
② 點選「索引標籤色彩」
③ 選擇要使用的顏色

6 | 不可以隱藏工作表

用不到的工作表可以直接刪除，不過，有時候也會碰到一些暫時用不到，但之後可能會有用，所以不想刪除的工作表。碰到這種情況，不少人都會選擇隱藏工作表，但是，請改掉這個習慣。

正如前一節所述，要理解 Excel 的計算程序，最主要是依靠工作表的索引標籤。**如果把工作表隱藏起來，其他人可能不會注意到還有其他工作表，這就有可能造成後續很大的麻煩。**比如說，在沒注意到有隱藏工作表的情況下，把 Excel 的檔案寄給客戶，結果隱藏的工作表中，竟然有不能讓客戶看到的資訊⋯⋯

那麼，暫時用不到的工作表究竟該如何處理呢？如圖 2-6 所示，應該把工作表移到最右邊，並且把索引標籤改成不顯眼的灰色。架構圖上同樣設定為灰色，並統一置於最右側。

此外，把工作表隱藏起來，以製表者的心理來說，可能會覺得：「隱藏起來別人就看不到，所以大概計算一下就好。」有不少人會因為這樣的心態而鬆懈，當然也就很容易發生誤算的情況。因此，不隱藏工作表，完整保留計算的過程，才是比較好的做法。

圖2-6　暫時用不到的工作表設定為灰色

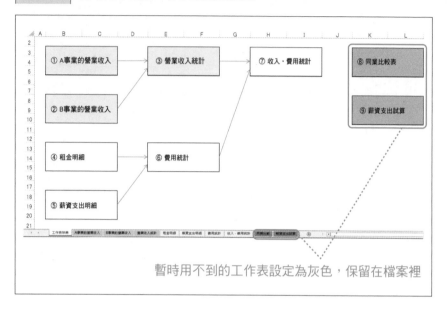

暫時用不到的工作表設定為灰色，保留在檔案裡

7　工作表的數量越少越好

　　如前所述，要理解工作表之間的關連是一件相當費神的事，在這樣的壓力之下，自然很容易造成誤算而沒有察覺。換句話說，工作表越多，越容易造成混淆，風險當然也就越大，所以工作表應該盡可能精簡。

　　舉例而言，假設A事業有營業收入、費用和營業淨利，B事業也有營業收入、費用和營業淨利，此時，工作表的數量最多將達到六張。先不考慮每張工作表的計算量，光就工作表的數量來看，六張工作表似乎太多了一些，可以的話，應該盡量彙總成「A事業」

和「B事業」兩張工作表，在各自的工作表中計算營業收入、費用和營業淨利。

　　彙總工作表還有一個好處，就是可以減少工作表之間互相參照的情形。工作表越分散，需要互相參照的情形就越多，檢查起來也就越麻煩。從這一點來看，工作表是越少越好。

8 ｜ 明確標記數字的出處

　　各位在利用 Excel 做計算時，應該會從不同的地方引用數字，例如公司內部的資料或企業的財報資料，最近可能也會引用網路上的數字吧。

　　在引用數字的時候，希望各位一定要養成習慣，明確標記數字的來源，也就是盡可能詳細列出數字的出處，以免日後檢查的時候，因為不曉得數字的出處而無法進行確認。如果無法確定數字是否正確，這份資料的可靠性也會受到質疑，所以請務必清楚標記數字的出處。

　　標記出處的位置，如圖2-7所示，在項目名稱右側多設一欄「出處」的欄位。如果是引用網站上的資料，為了避免網址太長，可以如圖中註記「網站[1]」那樣，利用「上標」的功能，然後在表格下方列出網址。

圖2-7　將文字設定「上標」的方法

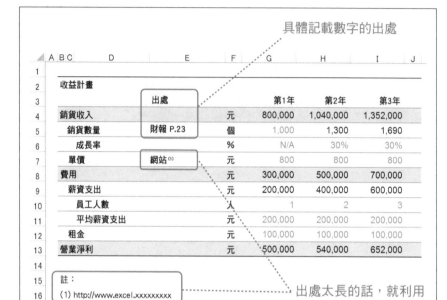

具體記載數字的出處

	出處		第1年	第2年	第3年
收益計畫					
銷貨收入		元	800,000	1,040,000	1,352,000
銷貨數量	財報 P.23	個	1,000	1,300	1,690
成長率		%	N/A	30%	30%
單價	網站(1)	元	800	800	800
費用		元	300,000	500,000	700,000
薪資支出		元	200,000	400,000	600,000
員工人數		人	1	2	3
平均薪資支出		元	200,000	200,000	200,000
租金		元	100,000	100,000	100,000
營業淨利		元	500,000	540,000	652,000

註：
(1) http://www.excel.xxxxxxxxx

出處太長的話，就利用附註，記載在表格下方

設定「上標」的方法：

① 輸入「網站(1)」

② 選取(1)，按右鍵

③ 點選「儲存格格式」

④ 點選「上標」，再按「確定」

我剛進摩根士丹利時，上司經常對我耳提面命：「Excel或PowerPoint上的數字，一定要清清楚楚地標示數字的來源。」

這是為什麼呢？如果不知道數字的來源，就沒有人能夠確認數字的正確性，這就等於是一個黑盒子。

雖然誤算也不是什麼好事，但清楚列出數字的出處，還可以加以確認和修正。如果連數字的出處都不知道，那究竟是數字有誤，還是計算的過程出了差錯，也都不得而知了。因此，數字的出處一定要標明清楚才行。

此外，這位上司也經常跟我說：「越優秀的人，附註寫得越確實。」觀察我周圍的人，似乎真的是這樣。工作謹慎的人，無論再忙，都會仔細標示附註；工作馬虎的人，計算也馬虎，當然也不寫附註。

應該標示附註的時候，如果一直想著等一下再寫，拖拖拉拉的結果，常常自己也搞不清楚數字的出處，到頭來還要再查一次，反而更浪費時間。所以，養成每次輸入數字都註記出處的習慣，工作效率自然也會提升。

檢查工作超級重要

接下來，就來介紹檢查的方法吧。無論再怎麼小心，計算還是有可能出錯，失誤不可能完全避免，但我們可以在這樣的前提之下，學習一些有效的檢查方式。

檢查Excel計算有三個重點。

第一個重點是，每計算一次，就要檢查一次。如果一再拖延，認為：「等做完一個段落，再一次檢查就好了。」最後通常會不了了之，而且也搞不清楚前一次檢查到哪裡了，所以請養成每計算一次就檢查一次的習慣。

第二個重點是，所有的儲存格都要檢查。因為Excel表格中所有的數字都互有關連，只要有任何一個地方出錯，都會影響到最後的結果。要是太過輕忽，認為：「只要檢查一半左右就差不多了吧。」結果就在沒有檢查到的地方出錯。所以，請一定要把所有的儲存格都檢查過一遍，Excel的工作就是要這麼仔細才行。

最後一個重點是花在檢查上的時間。如果徹底遵守前面提到的兩個重點，花在檢查上的時間就跟計算的時間相去無幾。各位在操作Excel的時候，如果覺得：「咦？怎麼這麼快就檢查完畢了？」代

表檢查得還不夠徹底，必須特別注意。「檢查的時間」＝「計算的時間」，這一點請務必牢記在心裡。

接著，我們就來了解一下計算的檢查方法吧。

1 〔F2〕鍵

檢查數字的方法之一，是按〔F2〕鍵。我想，這個方法應該有不少人知道。先點選有算式的儲存格，按一下〔F2〕鍵，就可以知道計算的內容。如果是手動輸入的儲存格，則不會顯示算式，所以也可以藉此確認是否為手動輸入。

圖2-8 用〔F2〕鍵檢查算式

按一下 [F2]，就會顯示算式

	A B C	D	E	F	G	H	I
1							
2	收益計畫						
3				第1年	第2年	第3年	
4	銷貨收入		元	800,000	=G5*G7	1,352,000	
5	銷貨數量		個	1,000	1,300	1,690	
6	成長率		%	N/A	30%	30%	
7	單價		元	800	800	800	
8	費用		元	300,000	500,000	700,000	
9	薪資支出		元	200,000	400,000	600,000	
10	員工人數		人	1	2	3	
11	平均薪資支出		元	200,000	200,000	200,000	
12	租金		元	100,000	100,000	100,000	
13	營業淨利		元	500,000	540,000	652,000	

圖2-8是在儲存格G4按一下〔F2〕鍵之後出現的畫面，我們可以看出，G4的數字是G5×G7的結果。要知道算式是參照哪些儲存格，按一下〔F2〕鍵便一清二楚，對於算式的檢查工作來說非常方便。

　　順帶一提，投資銀行因為一年到頭都在使用Excel，按〔F2〕鍵的次數也特別多，一天要按上百次，難免會有幾次不小心壓到旁邊的〔F1〕，這時候畫面就會跳出如圖2-9的說明視窗。如果作業時一直跳出這個畫面，會讓人很不耐煩，而且每次都要關閉視窗也很麻煩。

　　因此，很多投資銀行的菜鳥都會做一件事，就是像照片中這樣，索性把〔F1〕從鍵盤上拔掉，這樣就算按偏了，也不會動不動就跳出說明視窗。如果覺得很容易按到〔F1〕，一直跳出說明視窗很礙事的話，不妨也試試這個方法。

圖2-9　不小心按到〔F1〕會出現這個畫面

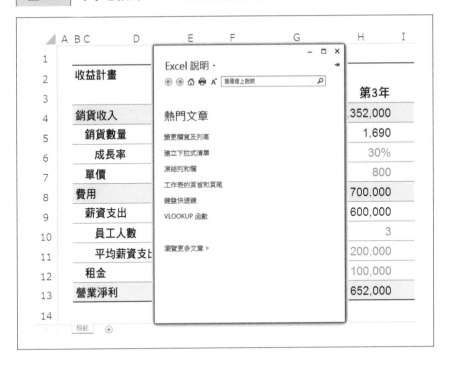

2 ｜ 追蹤功能

　　檢查計算的時候，比起按〔F2〕鍵，我更常使用另一個功能，那就是「追蹤」功能。接下來，就用圖表來說明追蹤功能吧。

　　追蹤功能可以分為「追蹤前導參照」和「追蹤從屬參照」兩種。

　　「追蹤前導參照」會以箭頭標示出一個儲存格的算式，是參照了哪些儲存格。比方說，在圖2-10中，當我們想知道第二年的銷

貨收入，也就是儲存格G4，是使用了哪些儲存格的數字計算出來的結果，就可以利用追蹤功能。以這個例子來說，使用到的儲存格就是銷貨數量G5和單價G7。

　　這個功能最方便的地方是，可以同時顯示多個算式的前導參照，圖2-10就同時顯示了第一年的銷貨收入（儲存格F4）、第二年的銷貨收入（儲存格G4）和第三年的銷貨收入（儲存格H4）這三個算式的前導參照。

圖2-10　追蹤功能

	A B C	D	E	F	G	H	I
1							
2	收益計畫						
3				第1年	第2年	第3年	
4	銷貨收入		元	800,000	1,040,000	1,352,000	
5	銷貨數量		個	1,000	1,300	1,690	
6	成長率		％	N/A	30%	30%	
7	單價		元	800	800	800	
8	費用		元	300,000	500,000	700,000	
9	薪資支出		元	200,000	400,000	600,000	
10	員工人數		人	1	2	3	
11	平均薪資支出		元	200,000	200,000	200,000	
12	租金		元	100,000	100,000	100,000	
13	營業淨利		元	500,000	540,000	652,000	

如圖所示，當我們利用追蹤前導參照的功能，把這些計算公式相同的算式放在一起比較時，如果有誤算，很容易就能看出來。例如在圖2-11中，只要和第一年及第二年的費用前導參照互相比較，就可以看出第三年的費用（儲存格H8）計算中遺漏了「租金」的項目。

關於追蹤的操作步驟，請參考圖2-13和圖2-14。

圖2-11　追蹤功能超級方便的理由

			第1年	第2年	第3年
收益計畫					
銷貨收入	元		800,000	1,040,000	1,352,000
銷貨數量	個		1,000	1,300	1,690
成長率	%		N/A	30%	30%
單價	元		800	800	800
費用	元		300,000	500,000	800,000
薪資支出	元		200,000	400,000	600,000
員工人數	人		1	2	3
平均薪資支出	元		200,000	200,000	200,000
租金	元		100,000	100,000	100,000
營業淨利	元		500,000	540,000	552,000

利用追蹤前導參照功能，一比較之下，很容易就能發現錯誤！

我有很多機會看到其他人製作的Excel表格，大家都習慣使用〔F2〕鍵來檢查算式，所以算式本身通常沒什麼大問題。比起這個部分，參照的儲存格反而更容易出錯，因為使用「複製貼上」的功能時，參照來源很可能一不小心就跑掉了。這種失誤很常發生，務必格外當心。

　　按〔F2〕鍵，只能顯示一道算式的內容，無法橫向比較，因此即使參照來源跑掉了，也不太容易發現。不過，如果在計算公式相同的算式旁標上追蹤箭頭，一比較之下，如果有錯誤的地方，很容易就能發現。這是追蹤功能的一大優點，一目瞭然又方便操作。

　　追蹤的另一項功能「追蹤從屬參照」，則可以幫助我們檢查從屬參照的儲存格，這也是〔F2〕鍵所沒有的功能。

　　圖2-12是一張用「單價×銷貨數量」計算銷貨收入的表格，當我們想確認儲存格B4的單價數字是否確實被包含在銷貨收入的算式中時，只要點選儲存格B4，再標上從屬參照的追蹤箭頭，如同圖2-12右方的表格。這麼一來，我們就可以看出B4的數字被包含在每一道銷貨收入的算式中。

　　像這樣標示追蹤箭頭，就可以利用圖像來檢查計算，非常簡單明瞭。追蹤是檢查計算時經常使用的功能，也請牢記這個功能的快速鍵吧。記下快速鍵，就可以省略掉移動滑鼠、點選功能等一連串麻煩的程序。

圖 2-12　利用追蹤功能，計算過程一目瞭然

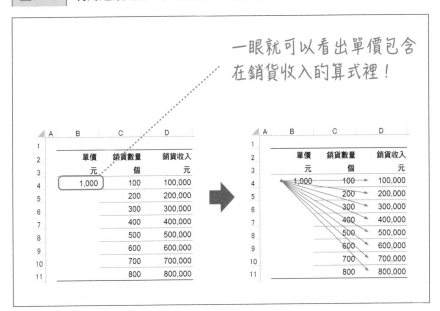

一眼就可以看出單價包含在銷貨收入的算式裡！

投資銀行的人還會用追蹤箭號作畫！

很少人知道這個追蹤功能，但這個功能真的很重要。

在投資銀行，剛出社會的新進員工，在員工訓練時也會學習這項功能。順帶一提，在嚴格的員工訓練中，我曾經見過有人趁休息時間，利用追蹤箭號作畫取樂，這可是很不容易的技術，各位不妨也試試看吧。

圖 2-13　追蹤前導參照的方法

		第1年	第2年	第3年
收益計畫				
銷貨收入	元	800,000	1,040,000	1,352,000
銷貨數量	個	1,000	1,300	1,690
成長率	%	N/A	30%	30%
單價	元	800	800	800
費用	元	300,000	500,000	700,000
薪資支出	元	200,000	400,000	600,000
員工人數	人	1	2	3
平均薪資支出	元	200,000	200,000	200,000
租金	元	100,000	100,000	100,000
營業淨利	元	500,000	540,000	652,000

① 點選要追蹤前導參照的儲存格

② 點選「公式」→「追蹤前導參照」

③ 再點選其他儲存格，重複相同步驟
　即可同時顯示多組前導參照

圖 2-14　追蹤從屬參照的方法

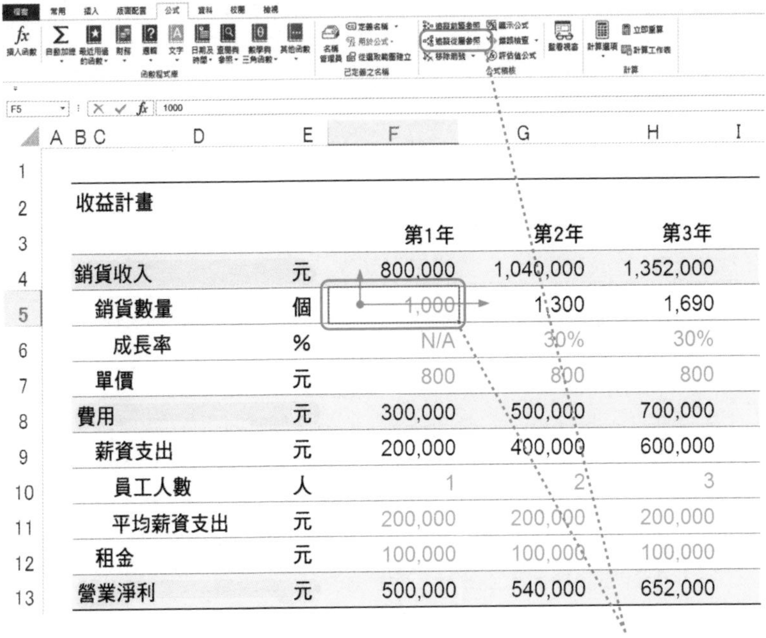

① 點選要追蹤從屬參照的儲存格（1,000）
② 點選「公式」→「追蹤從屬參照」

圖2-15 移除追蹤箭號的方法

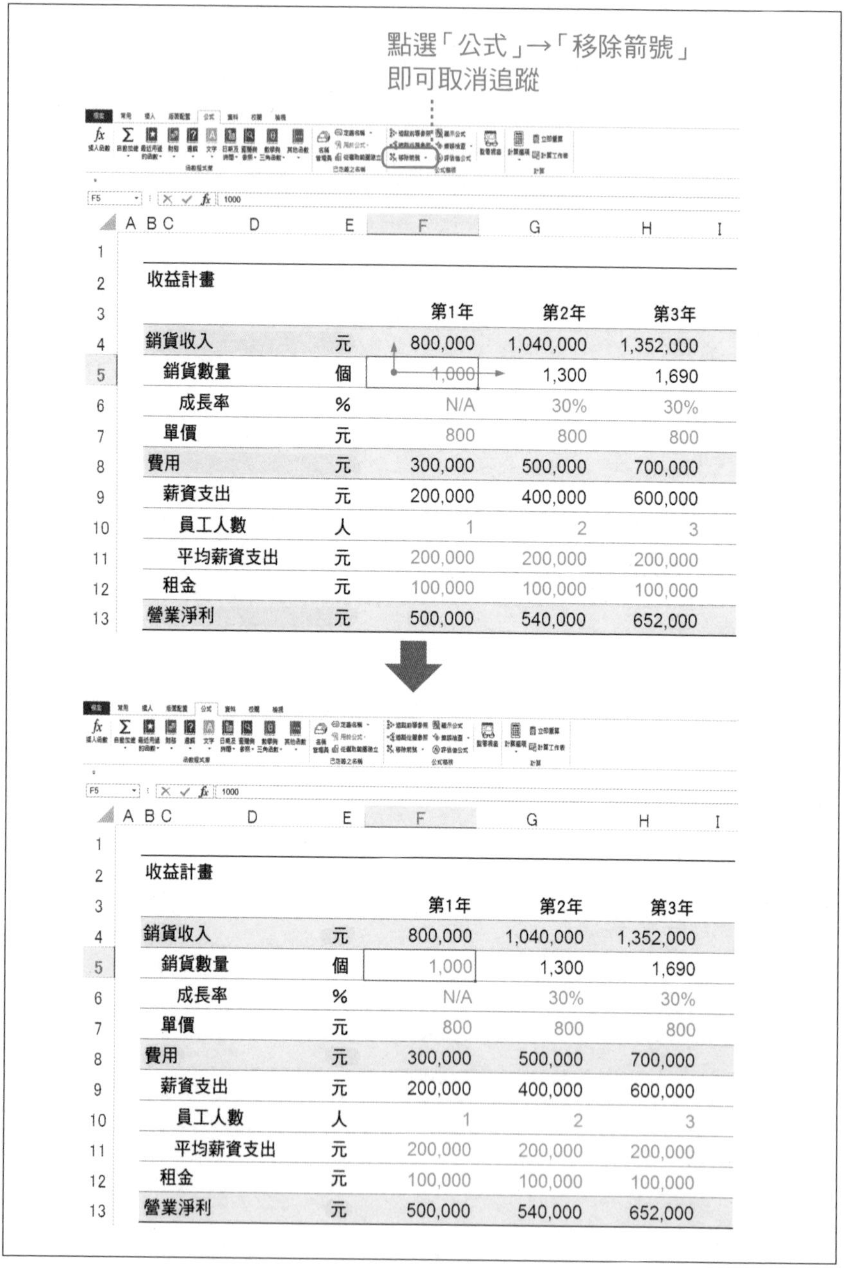

點選「公式」→「移除箭號」
即可取消追蹤

順帶一提，在我的 Excel 講座上，第一堂課是以格式和計算的檢查工作為重點，但我一定會在一開始就聲明：「不需要硬背快速鍵。」理由是，與其一味地想加快計算速度，而硬背快速鍵，我更希望大家重視基本的格式和計算的檢查工作。因為就算計算速度再快，如果完成的 Excel 難以理解或錯誤百出，那也沒有意義。

　　不過，追蹤功能的快速鍵是我唯一會強調「請務必牢記」的快速鍵，因為它是檢查計算時不可或缺的重要功能。

　　那麼，追蹤功能的快速鍵是什麼呢？追蹤前導參照是〔Alt〕〔M〕〔P〕，追蹤從屬參照是〔Alt〕〔M〕〔D〕，移除箭號是〔Alt〕〔M〕〔A〕〔A〕。

圖2-16	**追蹤功能相當方便，請記下快速鍵**

追蹤前導參照	**Alt**	**M**	P
追蹤從屬參照	**Alt**	**M**	D
移除箭號	**Alt**	**M**	A　　A

請注意，〔Alt〕鍵必須單獨使用才行，和〔Ctrl〕鍵的組合式快速鍵不同，〔Alt〕鍵並不是和其他鍵同時按下。以追蹤前導參照為例，快速鍵是依序按下〔Alt〕〔M〕〔P〕，換句話說，操作時必須連續按三次鍵盤。

鍵盤的位置可能會稍有差異，不過，〔Alt〕鍵通常位在鍵盤的左下角。看一下你手邊的鍵盤，確認一下〔Alt〕鍵在哪個位置吧。

最後來介紹一下，如果前導參照是在其他工作表上，這時候要怎麼進行確認呢？如圖2-17所示，當前導參照是在其他的工作表上時，箭號會以虛線表示，此時，在虛線上點兩下，就會出現前導參照的清單，你可以選擇並移動到前導參照的儲存格進行確認。

如果在其他工作表上的前導參照只有一個，也可以按〔Ctrl〕＋〔[〕，來移動到前導參照的儲存格。

關於快速鍵的部分，第三章還會有更詳細的說明。

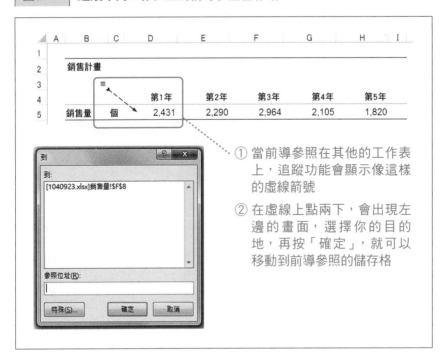

圖2-17　追蹤不同工作表上的前導參照儲存格

① 當前導參照在其他的工作表上，追蹤功能會顯示像這樣的虛線箭號

② 在虛線上點兩下，會出現左邊的畫面，選擇你的目的地，再按「確定」，就可以移動到前導參照的儲存格

3　數值的推移可以用「線」來檢查

檢查數字的時候，光是盯著數字看，也看不出個所以然。**數字的推移，一定要用「線」來檢查才可以。**

舉例來說，假設團隊成員完成了一份銷售計畫表，並請你幫他確認。

單看圖2-18的數字，你看得出任何不對勁的地方嗎？光是這樣瀏覽過去，並不能看出什麼端倪，但如果用線畫出第一年到第五年銷售數量的推移，就會得到如圖2-19中的圖。

　　從這張表格可以清楚看出，第一年到第二年，以及第三年到第五年，銷售數量都呈現減少的趨勢，只有第三年的銷售數量比其他年度多出許多。你就會注意到：「咦？為什麼只有第三年銷售數量是成長的呢？」於是和製表的同事再度確認。

　　這張圖就是所謂的折線圖。把數字轉化成線條，就能夠輕易發現異常的部分。依照圖2-20的步驟，可以快速完成一張折線圖，因此在檢查數字的變化時，請養成用「線」來檢查的習慣，檢查能力絕對能夠大幅提升。

　　要繪製折線圖，除了從「插入」的功能區點選，也可以使用快速鍵。如圖2-21所示，選取要繪製折線圖的範圍之後，依序按下〔Alt〕〔N〕〔N〕〔Enter〕。

　　折線圖的位置，只要不會擋住原來的數字，可以和表格放在同一張工作表上。檢查完畢之後，要記得刪掉折線圖。先點選折線圖，再按一下〔Delete〕即可刪除。

圖 2-18 表中的數字有哪裡看起來不太對勁嗎？

	A	B	C	D	E	F	G	H	I
1									
2		銷售計畫							
3									
4				第1年	第2年	第3年	第4年	第5年	
5		銷售量	個	2,431	2,290	2,964	2,105	1,820	

圖 2-19 數字的推移在圖表的幫助下一目瞭然

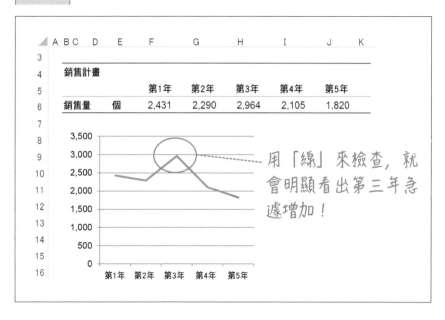

用「線」來檢查，就會明顯看出第三年急遽增加！

圖2-20 **繪製折線圖的方法**

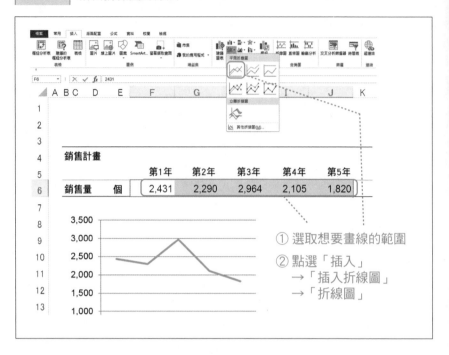

① 選取想要畫線的範圍

② 點選「插入」
　→「插入折線圖」
　→「折線圖」

圖2-21 **折線圖也是很方便的功能，要記下快速鍵**

用圖表顯示數字的推移	Alt	N	N	Enter

　　到目前為止，我們已經了解讓計算更簡單易懂的設定，也說明了計算的檢查方法。最後，我想再強調一個重點，希望各位能夠多花點時間在 Excel 作業上。製作 Excel 表格時，越心急，就越容易出錯，這是無庸置疑的事實。如果沒有安排充裕的時間，計算很有可能會出錯。

　　要是時間太緊迫，不但計算會很混亂，檢查工作也不會確實，如此一來，誤算的情形自然會增加，也讓人越來越討厭 Excel 作業，覺得：「Excel 真的很難，不適合我。」要克服對 Excel 的反感，一定要安排充裕的時間來處理 Excel 的工作。按部就班地完成計算，仔細檢查，製作出正確無誤的 Excel，這才是 Excel 作業的最佳捷徑。

　　要改善如圖 2-22 的惡性循環，關鍵是從左上角的作業時間著手，讓「Excel 的作業時間很少」，變成「確保充裕的作業時間」。如此一來，就有時間好好檢查，自然能夠減少失誤，久而久之，當我們開始對 Excel 產生自信以後，也會更有動力，覺得：「好，就再多花點時間，把它做得更好吧！」在一開始就為 Excel 作業安排充裕的時間，才能夠創造出良性循環。

　　安排 Excel 的作業時間，我的建議是，盡量安排一段完整的時間。倘若在製作 Excel 時，一下子要討論事情，一下子又要跟客戶

圖 2-22 多花點時間在 Excel 作業上吧

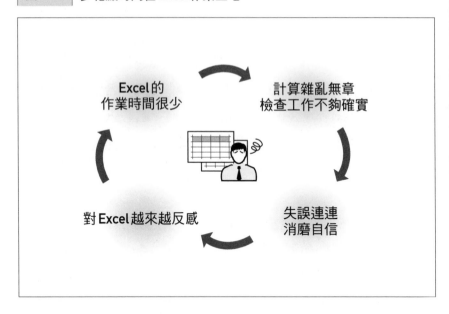

開會的話，Excel的作業時間會變得很零散，每次重新編輯檔案時，都要回想：「咦？先前計算到哪裡了？」或「這裡的計算檢查過了嗎？」最後難免會出錯。所以，Excel作業最好安排在一個不會被任何人打擾的環境，集中精神，一氣呵成地完成，這樣比較不容易出錯。

　　以我自己為例，我在製作Excel，尤其是像收益計畫這種大規模的計算時，都會利用週末的時間專心完成計算工作。因為週末不需要開會，比較能夠安排一段完整的時間。

　　說得更具體一點，那天我會睡到中午，獲得充分的休息之後，在下午一點左右前往公司，然後在空無一人的辦公室待到深夜，有

時還會待到隔天早上，只為了心無旁鶩地完成 Excel 表格。我一定會把檔案全部做完，不會做到一半就先擱在一旁，這樣下次重啟檔案時，很容易會混淆。

唯有這樣，才能夠在沒有壓力的狀態下，集中精神，順利完成 Excel。雖然過程很孤單，但是一想到如果要在平常繁忙的時間裡進行作業，萬一出錯了又很麻煩，這樣內心反而比較輕鬆。

必須讓自己有充裕的時間，直到完成作業為止。Excel 的作業越到最後面，越容易出錯，常常隨著計算進入尾聲，卻在最後的最後發現致命的錯誤。所以最好能夠提早進行，最理想的狀態，是計算過一回的 Excel，還有時間可以從頭再計算一遍。

在製作 Excel 的過程中，我常常會做到一半心想：「早知道一開始這樣做就好了，真想重頭來過。」這種時候，就是提升 Excel 能力的大好機會，一定要把握住這樣的機會，完成心目中理想的 Excel。從失敗中獲取經驗，重新製作的 Excel，品質肯定比以往高出許多。

假設現在要在一週內完成 Excel 的收益計畫表格，那麼最好能夠在四天內完成全部的作業，然後利用剩餘的三天仔細檢查，必要的時候加以修正，如此安排工作時間應該就沒問題了。我再強調一次，在最後的階段急著趕工，反而最容易出錯，請務必妥善安排時程，提早完成工作。

團隊作業時，如何有效避免誤算

接下來的主題是如何藉由團隊合作來避免誤算。**首先，想讓各位知道的一點是，在很多情況下，會發生誤算，是因為和別人共用一個檔案。由於不了解其他人做的Excel，才會導致誤算。**

例如不曉得哪一份檔案才是最新的，又或者頭腦聰明的人做了太複雜的計算，其他成員看不懂，所以無法找出其中的錯誤，都是有可能發生的問題。

因此，建構一套即使共用檔案也不會出錯的工作方法，是非常重要的事。如果不確實制定原則或文化，誤算的情況絕對不會減少。換言之，團隊裡面如果只有一人懂得正確使用Excel，其實一點意義也沒有。更重要的是，整個團隊或組織應該共同努力，建立一套能夠避免誤算的原則和文化。

1 團隊作業的兩大原則

要避免誤算，有兩個原則。第一個原則是，**指定一人負責計算**。這點非常重要。

投資銀行在計算企業併購的金額時，負責Excel計算的通常只有一人，兩人或三人一起使用Excel計算的情況非常少。**因為分工越細，越容易出錯。**分別完成多個檔案，再把計算整合在一起，這是一件非常繁複的工作。所以基本上所有的檔案都統一由一人管理，修改的工作也由同一個人進行，這是投資銀行的常態。

　　假設有一組三人團隊準備向客戶進行簡報，簡報中，必須以明確的數字告訴客戶，這項提案能為他們創造多少利潤。這種時候，首先要選定一人負責計算，完成計算以後，再把檢查工作交給其他成員。一人負責全部的計算，兩人負責檢查計算的內容，用這種方式分工合作。

　　負責檢查的人要注意，不能自行修改檔案，把要修改的部分告知Excel負責人，讓他來修改。Excel負責人理解要修改的部分以後，自行完成全部的修正。

　　要是檢查的人擅自操作Excel，很容易搞不清楚誰修改了哪個部分，結果更容易出錯。因此，指定一人負責計算，由他統一作業，是很重要的原則。

　　除了負責Excel計算的人之外，其餘兩人也不能置身事外。不能因為把計算和檢查的工作分開來，就完全忘記這是一場團隊合作，把所有的計算責任都推到一個人身上，造成他壓力太大，這也是造成誤算的原因之一。最後完成的Excel也可能成為「獨善其身的Excel」，只有本人才看得懂。

圖2-23　三人共用Excel的情況

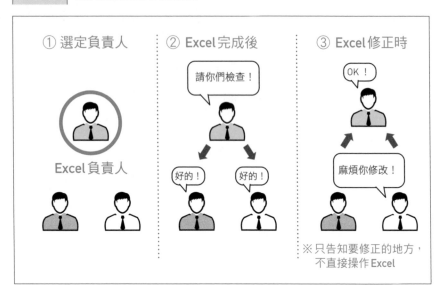

① 選定負責人　② Excel完成後　③ Excel修正時

Excel負責人

請你們檢查！

好的！　好的！

OK！

麻煩你修改！

※只告知要修正的地方，不直接操作Excel

第二個原則是，**檔案只能有一個**。有些人習慣把計算過程分成好幾個檔案，但我不建議這麼做。檔案盡量整理成一個，讓人清楚知道這是最新的檔案，才不會誤用到舊的檔案。

此外，如果將計算分成多個檔案，檔案與檔案之間的關連性也很難理解，為了避免這種事情發生，基本上還是以一個檔案為原則。

即使是大規模的併購案，大部分情況下也只有一個Excel檔案。**在一個檔案內完成所有計算，是投資銀行徹底遵循的原則。**

　　前面提到進行 Excel 作業的注意事項包括：① 安排充裕的時間，按部就班地完成計算；② 指定一位 Excel 負責人，並將所有計算整理成一個檔案。

　　但總是會有一些緊急案件，無法給予太多的時間，碰到這種情況時，該怎麼辦呢？

　　來介紹一個我從投資銀行前輩口中聽來的趣事吧。聽那位前輩說，他曾經負責一件企業併購案，必須在極短的時間內完成收益模擬模型。如此龐大的工作量實在無法獨力完成，但切割成多個檔案也很危險⋯⋯他們最後採取了什麼辦法呢？他們竟然由兩人輪流在二十四小時內完成模擬模型，也就是兩人在一天之內，各負責十二小時，以接力的方式完成一份 Excel，這樣的確只要一個檔案就能完成所有工作。聽完以後，我不免慶幸，還好當初那件併購案的負責人不是我。

2 ｜ 存檔要「另存新檔」

　　完成了 Excel 之後，下一步是把檔案儲存起來，但存檔的方式也有需要注意的地方。很多人儲存 Excel 檔案時，習慣用「儲存」來覆蓋原本的檔案，但最好改掉這個習慣，改用「另存新檔」的功能。因為 Excel 的追蹤修訂功能並沒有 Word 那麼好用，為了保留修訂的軌跡，最好把過去的檔案全部保留下來。

至於檔案的名稱，請設定為檔名加日期與編號。在檔名的後面加上當天的日期，然後輸入底線並依序編號。舉例來說，就像「Simulation_20150722_3」，接在存檔日期後面的編號「1」、「2」、「3」，代表修訂的次數。

順帶一提，我們在修改檔案的時候，應該多久使用一次「另存新檔」的功能呢？以我自己為例，我大概每進行一小時的Excel作業，就會另存一個修訂版的檔案。隨著計算越來越複雜，另存新檔的頻率也會越來越密集，縮短到每三十分鐘一次，再到每十五分鐘一次，有時甚至每完成一個動作就儲存一個修訂版的檔案。因為作業越複雜，越容易出錯，修正的動作也會越來越頻繁。

還有一件很重要的事，就是建立「old」資料夾。把為了追蹤修訂而另外儲存的舊檔案，全部放進old資料夾裡，這樣一來，就不會搞不清楚哪個才是最新的檔案，也不會不小心誤用了舊檔案。

如果不建立old資料夾的話，就會像圖2-25那樣，許多檔名相似的檔案全部排在一起，要找出最新的版本很麻煩，而且也很容易釀成錯誤。

圖 2-24 **建立 old 資料夾，輕而易舉就能找到最新檔案**

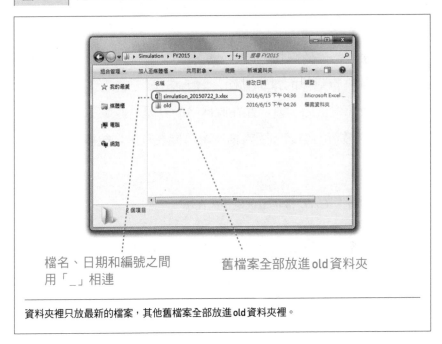

檔名、日期和編號之間　　　　　舊檔案全部放進 old 資料夾
用「_」相連

資料夾裡只放最新的檔案，其他舊檔案全部放進 old 資料夾裡。

圖 2-25 **沒有 old 資料夾的話，就會變成這樣……**

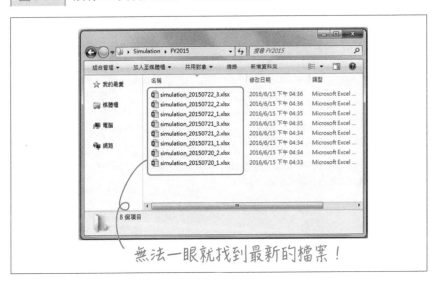

無法一眼就找到最新的檔案！

　　把檔案傳給其他團隊成員時，也有需要特別注意的地方。我們常常會收到夾帶附件的電子郵件，信上交代：「麻煩您確認這個檔案。」請改掉這樣的習慣。站在收件者的立場，他並不知道附件的Excel是不是最新的檔案。因為檔案有可能在寄出之後再度修改。

圖 2-26 │ **不要把Excel檔案附在電子郵件裡**

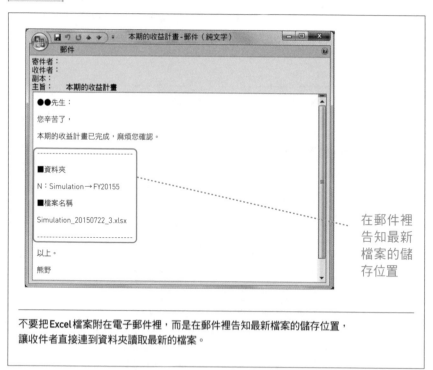

在郵件裡告知最新檔案的儲存位置

不要把Excel檔案附在電子郵件裡，而是在郵件裡告知最新檔案的儲存位置，讓收件者直接連到資料夾讀取最新的檔案。

當多人共用Excel檔案時，很重要的一點是，要讓所有人共用最新的檔案。為了避免使用到不同的版本，請建立一個共享資料夾，把最新的檔案放在共享資料夾裡，並嚴格執行這個方法。

4 | 重視簡單計算的文化

容易發生Excel誤算的團隊通常有幾個特徵，一是「偏好使用困難的Excel」。但是不用說也知道，越簡單易懂的計算，越不容易出錯。

其實在企業訓練課堂上問一下就會發現，有不少人認為，會用Excel的人，等於「會用巨集的人」或「知道很多快速鍵的人」，這其實是天大的誤解。明明可以簡單計算的東西，卻偏偏要用困難的函數或巨集計算，結果反而讓團隊成員看不懂、想破頭，只想要離數字越遠越好。像這種最糟糕的情況可不在少數。

有一種人我稱他們是「Excel魔人」，這些人即使碰到簡單的計算，也會大費周章地使用其實沒有必要的巨集，好讓所有計算都能自動完成。我不是不能理解他們的想法，只是，這些Excel魔人做出來的Excel，其他人看不懂，也沒辦法檢查。

當這些Excel魔人離職之後，因為沒有人可以接手他們的工作，所以常常需要重新製作一份Excel檔案。

具備巨集相關知識的人，要是在最初的階段擅自使用巨集功能，最後就會造成這樣的問題。所以計算時請盡量簡化，讓所有人都能夠進行檢查。

　　雖然投資銀行的人經常面對大量而複雜的計算，但幾乎沒有人會使用巨集。我在投資銀行任職的時候，也從來不曾為此感到困擾。計算要簡單，檢查要徹底，恪守這樣的原則，這才是團隊共同消弭失誤的必要手段。

　　那麼，該怎麼做才能夠建立以簡單計算為目標的工作文化呢？方法很簡單，**只要發現有人做出複雜的計算，就明白地告訴他：「這個太難懂了，麻煩你再做得簡單一點。」**如果有人認為做出複雜的計算很厲害，那他可就錯了。複雜的計算就是難懂的計算，而難懂的計算就是不好的計算，所以才互相提醒：「麻煩你再做得簡單一點。」只要時常這樣的提醒，就能慢慢建立起重視簡單計算的文化。

　　如果同事之間難以啟齒的話，也可以委託外部訓練的講師，請他特別在員工面前強調計算太複雜的缺點。

　　喜歡用複雜的方式計算的人，有時候會搬出一些似是而非的道理，例如：「雖然計算的過程很複雜，但這樣能讓計算自動化，提升工作效率，所以我堅持這麼做。」這番話確實有理，任何人都希望工作盡量自動化，但「自動化的優點」和「計算太複雜而導致失誤的缺點」，這兩者之間的平衡，團隊可以一起討論，取得共識。

要是對細部工作的自動化太過堅持，而失誤連連的話，就一點意義也沒有了。

　　我並不是全盤否定巨集的功效，有些時候，巨集確實有它的必要。如果有這種情況，請努力提升相關的知識與技術，讓團隊裡每一位成員都學會使用巨集。重要的是，**在一個團隊裡，成員的能力一致，才能夠避免因為「獨善其身的Excel」而導致誤算。**

圖2-27 | **建立以簡單計算為目標的團隊**

⭕ 好的工作文化	❌ 壞的工作文化
●以簡單計算為目標	●認為能夠完成複雜的計算很厲害
●以所有團隊成員都看得懂的計算為目標	●想用團隊成員無法理解的高難度計算，展現自己的技巧
●不使用非必要的巨集或函數	●使用非必要的巨集或函數

在第二章的最後，讓我們來談談團隊的領導者。

能否建立一個零失誤的組織文化，取決於公司或事業的負責人、團隊主管，亦即組織的領導者，對於「徹底執行零失誤的計算」有多麼堅持。

大家都不喜歡計算，也都不希望計算出錯，所以如果可以的話，當然都不想要接觸Excel的工作。要是團隊的領導者整天嚷嚷：「我是業務出身的，不擅長計算，所以算錯也是沒辦法的事。」那麼團隊的成員在做Excel計算時，就不會抱持著「絕對不能出錯」的謹慎心態。如果組織的領導者沒有強烈的責任感，輕易容許失誤，那麼，全公司的員工都會上行下效，對計算的工作避之唯恐不及。

如果你是團隊的領導者，請務必牢記，能否減少誤算，完全取決於領導者的心態。

　　那麼身為領導者，又該用什麼樣的方式和團隊成員溝通呢？首先，當同仁完成Excel計算，請你確認檔案，這時，請盡可能提出疑問，確認對方的計算是否符合當前的需求。

　　在製作Excel表格的時候，有可能因為太過投入作業中，而忽略了邏輯，無法說明數字的因果關係，或者數字明顯不太對勁，卻沒有注意到，沒有察覺：「營業收入不如預期般成長，為什麼會這樣？」這種時候，領導者必須提出疑問：「為什麼得到這個數字？請說明一下。」這麼一來，團隊成員也會轉換角度，用另一種方式來檢視數字。即使是簡單的問題也沒關係，有疑問就要提出來，這是很重要的。

　　被問過這樣的問題以後，團隊成員下次製作表格時，在呈給上司看之前，就會先檢查過，確認計算是否合理。這能讓團隊成員養成確實思考的習慣，一份資料至少要先說服得了自己，能夠進行分析，也可以條理分明地說出：「營業收入成長，淨利卻減少，是因為費用增加的緣故。」

　　那麼具體來說，究竟該如何提問呢？我們來看這個下面這個例子。假設團隊成員交出一份如圖2-28的收益計畫表。

看了這張表格，第一個問題應該是：「第二年的營業淨利比第一年還少，減少的原因是什麼？」製表者回答：「銷貨收入雖然增加，但是費用增加更多，所以營業淨利減少了。」

領導者再問：「為什麼費用會增加呢？」團隊成員說明：「因為員工人數增加，平均薪資支出增加，還有租金也增加了，所以費用才會變多。」

領導者再問：「第二年到第三年的營業淨利成長，又是為什麼呢？」團隊成員說明：「因為銷貨收入雖然減少了，但費用減少的幅度更大，所以營業淨利比第二年多。」

圖2-28 從這張表格來思考該如何提問

				第1年	第2年	第3年
收益計畫						
銷貨收入		元		823,000	984,570	893,661
銷貨數量		個		1,000	1,110	1,077
成長率		%		N/A	11%	-3%
單價		元		823	887	830
費用		元		320,000	590,000	460,000
薪資支出		元		220,000	460,000	460,000
員工人數		人		1	2	2
平均薪資支出		元		220,000	230,000	230,000
租金		元		100,000	130,000	130,000
營業淨利		元		503,000	394,570	433,661

此時，還可以繼續問下去：「為什麼第三年的費用會減少呢？」經過這麼一問，對方就會突然發現：「明明員工人數沒有改變，平均薪資支出和租金也沒有改變，為什麼費用卻減少了……」

問題就出在圖2-29中圈起來的部分。

一旦發現不太對勁的地方，下一個動作就是檢查問題出在哪裡。以此處為例，不妨先用追蹤前導參照的功能，檢查一下計算的過程。

圖 2-29　好像有哪裡不太對勁……

員工人數沒變，為什麼費用卻減少了呢？

圖 2-30 利用追蹤功能檢查計算過程

▲	A B C	D	E	F	G	H	I
1							
2	收益計畫						
3				第1年	第2年	第3年	
4	銷貨收入		元	823,000	984,570	893,661	
5	銷貨數量		個	1,000	1,110	1,077	
6	成長率		%	N/A	11%	-3%	
7	單價		元	823	887	830	
8	費用		元	320,000	590,000	460,000	
9	薪資支出		元	220,000	460,000	460,000	
10	員工人數		人	1	2	2	
11	平均薪資支出		元	220,000	230,000	230,000	
12	租金		元	100,000	130,000	130,000	
13	營業淨利		元	503,000	394,570	433,661	

追蹤箭號如圖2-30所示。

檢查之下發現，費用項目底下原本應該包括薪資支出和租金，但唯獨第三年的費用漏算了租金。類似的錯誤其實很容易發生，但計算的時候卻不太容易發現。

因此，當團隊成員交出收益計畫表的時候，一定要鍥而不捨地追問淨利為什麼增加了，或為什麼減少了，讓製表者自己發現錯誤。這麼一來，團隊成員也會萌生下次要更仔細檢查的念頭。**雖然誤算的原因可能是不熟悉 Excel 軟體，但很多時候也是出自心態問題，因為粗心而出錯。**

此外，利用Excel製作收益計畫或進行企業分析時，從「比較過去同期」或「比較類似企業」的角度切入，也是很有效的方法。

比較過去同期，就是比較過去、現在、未來的數字，並詢問變動或差異的原因。比如說：「為什麼過去三年的營業淨利率逐年提升？」或「為什麼未來的預估數字中，薪資支出會減少？」懂得從時間順序來說明變動的原因，是非常重要的能力。

至於比較類似企業，可以問：「為什麼競爭對手A公司的營業淨利率是10%，我們卻只有8%？」如果團隊成員可以清楚說明營業淨利率比A公司低的理由，那還可以接受。倘若對方只答得出：「Excel計算出來的結果就是這樣啊……」代表團隊成員對數字的敏感度還有待加強。

雖說Excel是商場上必備的計算工具，但也就僅此而已，並不是用Excel計算出結果就好了，還要能夠用自己的話清楚說明，這樣才算真正完成了Excel計算。身為領導者，請追根究柢地提出疑問，讓團隊成員能夠藉由操作Excel的過程，不斷增強對商業數字的敏感度。

關於領導者的第二項責任是，要給予團隊成員充分的 Excel 作業時間。越是倉促完成的 Excel，越容易出錯，因此，在安排工作的時候，必須考量是否有充裕的作業時間。如果是大型的計算作業，例如規畫下年度的事業計畫等，最好不要再安排其他工作，讓負責人可以專心完成眼前的工作。如果還安排了其他工作，為了同時進行多項作業，無法專心在 Excel 上的話，很容易忙中出錯。Excel 就是如此複雜而縝密的工作。

一旦決定了完成期限，在負責人完成 Excel，交出檔案之前，請不要三不五時就提出自己的意見。因為動不動就提出自己的意見，不但會讓負責人很有壓力，還有可能擾亂他的作業計畫。比較適當的時機，應該是在他開始作業之前就先提出指示，或是在他交出結果之後再給予建議。

此外，隨著資訊科技越來越進步，各種內部資料越來越齊全，大家對於 Excel 資料的細部指示或要求似乎也越來越多。例如有人會要求：「給我看薪資支出的細項。」或者「我還想了解各事業群的營業淨利率。」在在都讓人覺得 Excel 作業變得越來越複雜。

要求細部的資料，這件事情本身並沒有不好，只是在提出要求之際，必須要有一個認知，就是這麼做會耗費多少時間或成本。如果希望部屬提出薪資支出的細項的話，就應該把作業的時間考慮進

去，延長完成期限，同時也應該理解這會連帶產生的費用（例如負責人的加班費用支出等），這些都考慮過了以後，再提出要求。

只是單方面地提出更複雜的要求，卻不調整完成期限，讓負責人在焦急的狀態下完成工作，萬一導致誤算，只留下一堆毫無意義的資料，這恐怕是最糟糕的結果。

8 | 領導者的責任 ③：誤算的最終責任在領導者身上

最後要談的是一件相當理所當然的事情，事業部門或專案的領導者，必須親自完成最後的計算檢查工作，並對計算的結果負起責任。倘若向客戶提出的資料有誤，領導者絕對不能逃避責任。「都是部屬做事不夠細心……」這種話來逃避責任，別說是客戶了，部屬也會對這種主管失去信賴。越是重要的計算工作，越要做好最後的把關工作，對數字負起責任。

我在投資銀行參與大型企業併購案的時候，曾經收到紐約分公司一位非常了不起的銀行家指名給我的電子郵件，對方在信上要求：「我想確認這個數字，請把你做的 Excel 檔案寄給我。」我收到信以後非常感動，即便他已經成為如此了不起的人物，還是堅持親自檢查 Excel。面對數字，絕對不能心存僥倖，因為計算失誤會失去客戶的信賴，所以身為團隊的領導者，一定要親自檢查 Excel 計算的過程，確實扛起最後的責任。

　　我在投資銀行時的上司，是一位對數字非常嚴格、以提供正確數字為傲的人。當時曾經發生過這麼一件事。

　　某次去向客戶提案的時候，我們已經完成計算，並製作成簡報資料，但搭上計程車後才開始檢查資料的上司，發現有一個小地方計算錯了。他發現的是一個非常微不足道的數字，而且都已經在計程車上了，要修改也來不及了。投資銀行製作的簡報資料是非常精美的印刷品，更何況數字的誤差非常小，小到完全不會影響提案。

　　當時上司怎麼處理這件事呢？他毫不猶豫地拿起筆來，直接在精美的簡報資料上改掉錯誤的數字。簡報時，就直接拿這份修改過的資料給客戶。

　　當時我心裡想：「這個人真了不起！」即使只是細微的錯誤，就算只能手寫修改，也要訂正過來，絕不容許出現任何錯誤的數字。「數字正確，比資料是否精美更重要。」他的行動完全出於這樣簡單而強烈的信念。

　　我一邊佩服上司的舉動，一邊也對於自己讓上司蒙羞感到很抱歉，暗自提醒自己，以後再也不要犯同樣的錯誤（但在那之後，我還是很常犯錯……）。

　　組織的領導者如果不對計算的結果負責，堅持交出正確的數字的話，組織裡的人也不會對數字有高度的敏感和意識。

高效率的 Excel
── 記住好用的快速鍵，同時提升工作的質與量

投資銀行的人使用Excel超神速！

第三章的主題是「效率」，教你運用一些方法來提升Excel的計算速度。Excel的作業速度因人而異，而且差異的幅度相當大。在我的Excel講座上，曾經有位女性參加者問我：「該怎麼做，才能提升Excel的作業速度？」對她來說，要兼顧工作與家庭，必須在有限的時間內，達到最大的成果，因此她一心想要提升Excel的作業速度。

應該也有不少人有同樣的想法吧？其實，只要掌握幾項原則，就能大幅提升Excel的作業速度，各位不妨也試試看本章介紹的一些小訣竅吧！

外商投資銀行的人使用Excel的速度真的很快，因為在高壓的環境之下，常常一人要完成三人份的工作，因此無論任何事情都講求速度。此外，如果不提升Excel的作業速度，就沒有時間檢查，為求正確無誤的計算，作業的速度也很重要。

在這一章，將結合我個人的經驗，介紹一些外商投資銀行提升Excel速度的方法。

第一章提到，在外商投資銀行，新進員工會先送去紐約或倫敦接受三週左右的培訓，其中大部分時間都是在學習如何操作 Excel，而且從培訓的時候開始，就很注重提升作業速度。

課堂上，新人會拿到一份講義，上面足足列了五十個左右的快速鍵，要大家全部背起來。記得我那時候還很焦慮，覺得：「這麼多真的背得起來嗎？」但也因為一開始就背下這些快速鍵，手指慢慢適應了鍵盤以後，作業速度便大幅提升。而且，一旦手指記住了快速鍵的位置，之後也不容易忘記，因此，各位在學會 Excel 的操作以後，建議也盡早把快速鍵背起來。

聽說在某家外商投資銀行的新進員工培訓課堂上，講師出了一道 Excel 的計算題，要求大家當場完成，最後大家完成表格的平均時間是十五分鐘。接著，講師播放一段影片，示範完成那張表格最快速的方法，結果竟然只花了二十秒。據說還因為速度太快，沒有人看懂那段影片在做什麼。類似這種提升 Excel 作業速度的訓練，任何一家投資銀行都會實施。

此外，在另一家外商投資銀行任職的朋友也告訴我，他在進公司的第一天，前輩就不由分說地要求他：「禁止使用滑鼠。」前輩的目的應該是想讓他記住快速鍵的操作方法，但是這樣突如其來的要求，還是讓人很不知所措。

　　有一點希望各位不要誤解，使用Excel，並不是只要速度快就好。我在 **Excel** 講座上一定會強調一件事，那就是「**快速鍵記不起來也沒關係**」。很多人以為「會用Excel的人」＝「知道很多快速鍵的人」，或「會用Excel的人」＝「會使用巨集的人」，我認為這是對Excel先入為主的偏見。

　　使用 Excel，最重要的是盡可能簡化基本的計算，避免失誤。從優先順序來說的話，第一章和第二章說明的格式和檢查工作，比**快速鍵更重要**。換句話說，提升作業速度，只是為了可以有更多的時間花在其他更重要的事情上。因此，請不要一味地背快速鍵，卻沒有打好基本功，成為別人眼中速度快、但做出來的Excel難以理解又錯誤百出的麻煩人物。

提升計算速度不可或缺的「質」與「量」

如圖 3-1 所示，要提升 Excel 計算的速度，必須考量兩項因素，分別是「提升計算的質」和「增加計算的量」。

提升計算的質，就是藉由統整格式，加快 Excel 的理解速度，或是熟記快速鍵，讓作業更有效率。增加作業的量，則可以透過增加 Excel 的操作次數來達成。畢竟快速鍵背得再多，也要派得上用場才有意義。

圖 3-1　提升 Excel 作業速度的訣竅

計算速度與格式之間的關係，第一章已經說明過了，只要統一公司或團隊內部使用的格式，就能在更短的時間內理解別人製作的Excel。此外，徹底遵行格式，就不需要多花時間思考和選擇格式，習慣了以後，作業的速度就會提升。

計算的檢查工作也一樣，如果不曉得檢查的方法，光是思考就會耗去不少的時間。此時，參考第二章的內容，徹底運用〔F2〕鍵和追蹤功能等檢查工具，只要一再重複同樣的動作，不必多加思考，作業的速度也會提升。

圖3-2 　**徹底遵行格式＆檢查工作**

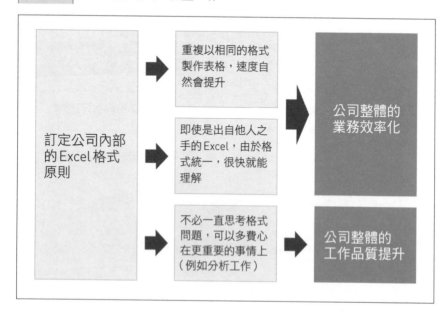

如圖3-3所示，活用快速鍵，也能有效提升作業的速度。使用滑鼠的話，多多少少會耗費作業的時間。

如圖3-4所示，我把快速鍵分成三種類型來說明，第一種是搭配〔Ctrl〕的快速鍵，第二種是搭配〔Alt〕的快速鍵，第三種則是其他的快速鍵。

圖3-3　提升 Excel 作業速度的訣竅

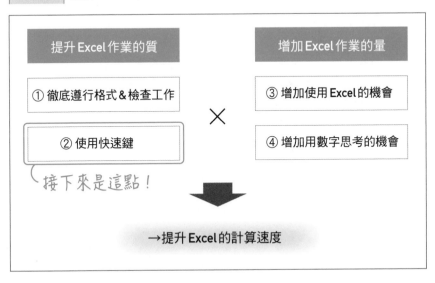

搭配〔Ctrl〕的快速鍵中,最具代表性的就是複製的〔Ctrl〕＋〔C〕,以及貼上的〔Ctrl〕＋〔V〕。不過,由於搭配〔Ctrl〕的快速鍵很多,要全部記住是很辛苦的,而且用不到的快速鍵記住也沒用,因此,我會只介紹幾組在任何作業中都能派上用場的快速鍵。

至於搭配〔Alt〕的快速鍵中,有幾個是我希望各位知道,並且實際運用的快速鍵。若能徹底活用〔Alt〕鍵,確實能夠減少使用滑鼠的次數。

最後,非〔Ctrl〕或〔Alt〕系列的鍵盤操作和滑鼠操作,則放在「其他」類型來說明。其中也有用滑鼠比用快速鍵更迅速的操作方法,請務必牢記。

圖 3-4 **使用快速鍵**

1　搭配 **Ctrl** 的快速鍵

2　搭配 **Alt** 的快速鍵

3　其他（數字鍵盤、滑鼠等）

1　本書的快速鍵標示規則

先說明一下本書的快速鍵標示規則。快速鍵標示方式，分成有「＋」和沒有「＋」兩種（圖3-5）。

例如〔Ctrl〕＋〔C〕，當中就包含「＋」，意思是在按住〔Ctrl〕鍵的同時按下〔C〕鍵。

沒有「＋」的例子就像〔Alt〕〔H〕〔H〕，意思是要依序按下這幾個按鍵。以這個例子來說，就是按照〔Alt〕〔H〕〔H〕的順序，按三次鍵盤，而不是一邊按住〔Alt〕鍵，一邊按下〔H〕鍵的意思。

圖3-5　**本書的標示規則**

Ctrl＋C	同時按Ctrl和C
Alt　H　H	依序按Alt→H→H

　　接下來，就從搭配〔Ctrl〕鍵使用的快速鍵開始吧。第一組要介紹的是〔Ctrl〕＋〔1〕，這組快速鍵可以叫出「儲存格格式」的對話方塊。

　　第一章說明表格框線的時候，也曾經使用「儲存格格式」的對話方塊（詳見47頁），但當時是用按滑鼠右鍵的方式叫出「儲存格格式」的對話方塊。不過，如果每次都要按滑鼠右鍵，確實有點浪費時間，這時候就可以利用〔Ctrl〕＋〔1〕。只要按下這組快速鍵，就會立刻顯示「儲存格格式」的對話方塊。

　　顯示「儲存格格式」對話方格後，下一個步驟通常是點開「外框」等標籤，這時候就可以使用〔Ctrl〕＋〔Tab〕的快速鍵，按一下這組快速鍵，就會跳到右邊的「對齊方式」。所以，如果想要移動到「外框」標籤的話，就是在打開「儲存格格式」的對話方塊後，按三次〔Ctrl〕＋〔Tab〕。

　　接下來的操作，也就是選擇框線的類型和位置等，用滑鼠操作會比用鍵盤操作來得簡單。

　　此外，〔Ctrl〕＋〔Tab〕也可以使用在IE等瀏覽器的索引標籤的移動上。

圖 3-6　設定儲存格格式的快速鍵

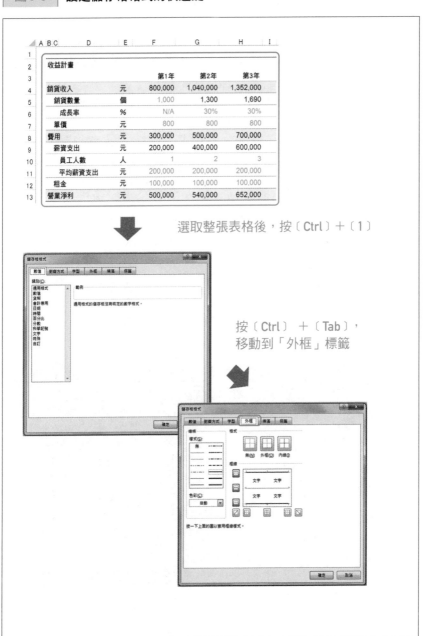

選取整張表格後，按〔Ctrl〕＋〔1〕

按〔Ctrl〕＋〔Tab〕，
移動到「外框」標籤

接下來介紹全選表格或全選工作表的快速鍵。這組快速鍵會因為點選的儲存格不同，而有不同的選擇範圍。

如果工作表中已有表格，**點選表格中任一儲存格，並按下〔Ctrl〕＋〔A〕，就可以全選整張表格。**要繪製表格框線或複製表格的時候，這組快速鍵相當方便。全選整張表格後，再按一次〔Ctrl〕＋〔A〕，即可全選整張工作表。

圖3-7　**全選工作表的快速鍵**

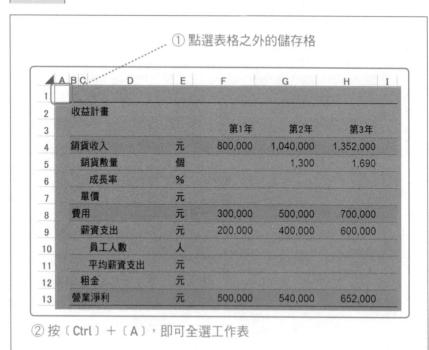

如果工作表中沒有表格，或點選的儲存格在表格之外，這時候按〔Ctrl〕＋〔A〕，則可全選整張工作表。

全選整張工作表的操作，經常使用在設定基本格式的時候。舉例來說，當列高要設定為「18」的時候（詳見30頁），先將整張工作表的列高都設定為「18」，之後不管在同一張工作表中新增多少個表格，都不必再一一設定列高了。

除此之外，將半形英數字的字型統一設定為Arial的操作（詳見34頁），同樣可以利用全選工作表的方式設定，一次完成。

| 圖 3-8 | 在中文字串後輸入數字的情況 |

		第1年	第2年	第3年
收益計畫				
銷貨收入	元	800,000	1,040,000	1,352,000
銷貨數量	個	1,000	1,300	1,690
成長率	%	N/A	30%	30%
單價（平均1個）	元	800	800	800
費用	元	300,000	500,000	700,000
薪資支出	元	200,000	400,000	600,000
員工人數	人	1	2	3
平均薪資支出	元	200,000	200,000	200,000
租金	元	100,000	100,000	100,000
營業淨利	元	500,000	540,000	652,000

在中文字串後輸入數字，字型不會變成 Arial！

這個設定英數字型的動作，最好每隔一段時間就重複一次。因為即使一開始就把英數字型統一為Arial，在計算或輸入文字的過程中，數字有可能會套用到中文字型。尤其是中文裡夾雜英數字的時候，特別容易發生這種狀況。

請見圖3-8。銷貨收入項目底下的「價格（平均1個）」的「1」就不是Arial字型。乍看之下或許不會發現，但是對於熟悉Arial字型的人來說，還是會在意這種細節上的差異。雖說如此，如果每次輸入英數字就要設定一次字型，那也很麻煩，所以才會建議**每隔一段時間就全選工作表，把英數字型統一設定成Arial**。

4 | 在儲存格之間移動的快速鍵：
〔Ctrl〕＋方向鍵

第一章已經介紹過這個方法，不過，由於這組快速鍵相當常用，這裡再次說明操作的順序。

假設要從圖3-9的「銷貨收入」儲存格，移動到「租金」儲存格。我們在「銷貨收入」儲存格按〔Ctrl〕＋〔↓〕，即可一口氣移動到「費用」儲存格，之後只要依序按〔↓〕和〔→〕，即可移動到「薪資支出」。接著，再按一次〔Ctrl〕＋〔↓〕，就會跳到「租金」的儲存格了。

在儲存格之間移動時，光靠鍵盤上的方向鍵或滑鼠，速度很慢。好好運用〔Ctrl〕＋方向鍵，可以大幅提升作業的速度。

圖 3-9 ┃ **利用〔Ctrl〕＋方向鍵，在儲存格之間快速移動！**

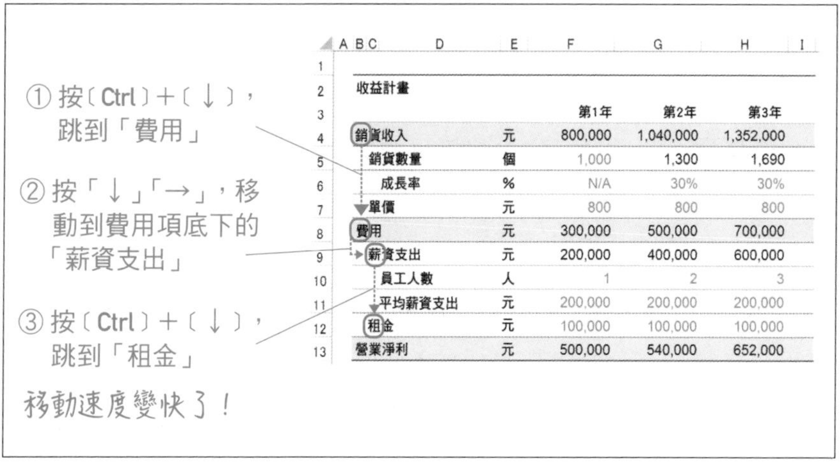

① 按〔Ctrl〕＋〔↓〕，跳到「費用」

② 按「↓」「→」，移動到費用項底下的「薪資支出」

③ 按〔Ctrl〕＋〔↓〕，跳到「租金」

移動速度變快了！

	A	B	C	D	E	F	G	H	I
1									
2	收益計畫								
3						第1年	第2年	第3年	
4	銷貨收入				元	800,000	1,040,000	1,352,000	
5		銷貨數量			個	1,000	1,300	1,690	
6		成長率			%	N/A	30%	30%	
7		單價			元	800	800	800	
8	費用				元	300,000	500,000	700,000	
9		薪資支出			元	200,000	400,000	600,000	
10			員工人數		人	1	2	3	
11			平均薪資支出		元	200,000	200,000	200,000	
12		租金			元	100,000	100,000	100,000	
13	營業淨利				元	500,000	540,000	652,000	

　　和〔Ctrl〕＋方向鍵功能很類似的快速鍵，還有〔Ctrl〕＋〔Shift〕＋方向鍵。如圖3-10所示，這組快速鍵可以用來選取連續的文字或數字。

　　舉例而言，點選第一年銷貨收入的儲存格F4，接著同時按〔Ctrl〕＋〔Shift〕＋〔→〕，即可一口氣選取從F4到第三年銷貨收入儲存格H4的範圍。如果是縱向的話，點選第三年銷貨收入的儲存格H4，同時按〔Ctrl〕＋〔Shift〕＋〔↓〕，即可選取從H4到第三年營業淨利儲存格H13的範圍。

　　同樣的，用滑鼠拖曳選取範圍比較耗時，因此也請務必牢記這組快速鍵。

　　然而，使用〔**Ctrl**〕＋〔**Shift**〕＋方向鍵，也有可能會失敗，就是像圖3-11，直接選取到整列或整欄的最尾端。

　　圖中示範的，是想把第一年的銷貨收入，也就是儲存格F4的公式，複製到第二年和第三年的銷貨收入儲存格裡，卻選擇範圍失敗的例子。複製儲存格F4後，原本是想利用〔Ctrl〕＋〔Shift〕＋〔→〕選取要貼上公式的範圍，卻把到工作表最右端的儲存格都選了起來。

圖 3-10 選取欄或列的快速鍵

按〔Ctrl〕＋〔Shift〕＋〔→〕，可以一次選取整列

	A B C	D	E	F	G	H	I
1							
2	收益計畫						
3				第1年	第2年	第3年	
4	銷貨收入		元	800,000	1,040,000	1,352,000	
5	銷貨數量		個	1,000	1,300	1,690	
6	成長率		%	N/A	30%	30%	
7	單價		元	800	800	800	
8	費用		元	300,000	500,000	700,000	
9	薪資支出		元	200,000	400,000	600,000	
10	員工人數		人	1	2	3	
11	平均薪資支出		元	200,000	200,000	200,000	
12	租金		元	100,000	100,000	100,000	
13	營業淨利		元	500,000	540,000	652,000	

	A B C	D	E	F	G	H	I
1							
2	收益計畫						
3				第1年	第2年	第3年	
4	銷貨收入		元	800,000	1,040,000	1,352,000	
5	銷貨數量		個	1,000	1,300	1,690	
6	成長率		%	N/A	30%	30%	
7	單價		元	800	800	800	
8	費用		元	300,000	500,000	700,000	
9	薪資支出		元	200,000	400,000	600,000	
10	員工人數		人	1	2	3	
11	平均薪資支出		元	200,000	200,000	200,000	
12	租金		元	100,000	100,000	100,000	
13	營業淨利		元	500,000	540,000	652,000	

按〔Ctrl〕＋〔Shift〕＋〔↓〕，可以一次選取整欄

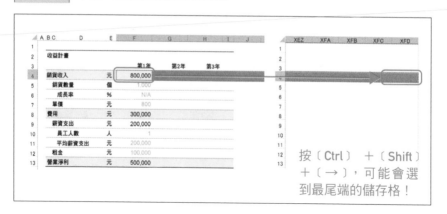

圖3-11 不過，這組快速鍵有個問題……

圖3-12 在表格外輸入end，問題就解決了！

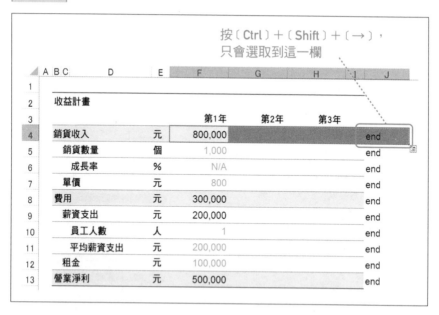

要避免這種情況發生，有一個解決辦法，**就是在作業範圍的外側，加上一欄「end」**，如圖3-12所示。內容不一定要輸入「end」，總之，只要在表格外側輸入文字即可。

在表格外側輸入「end」之後，先複製第一年銷貨收入的儲存格F4，再按〔Ctrl〕＋〔Shift〕＋〔→〕鍵，即可選取到「end」之前的範圍；接著，再按〔Shift〕＋〔←〕，縮小選擇的範圍，即可選取G4到H4的儲存格，亦即第二年和第三年的銷貨收入儲存格。

計算完以後，別忘了刪除「end」。

6 ｜ 移動到其他工作表的快速鍵：〔Ctrl〕＋〔Page Down〕／〔Page Up〕

在工作表之間移動，基本上，還是用點選索引標籤的方式，但是當工作表數量太多時，這種方式也還是有點麻煩。況且，工作表的索引標籤那麼小，實在不是很好按。在這種情況下，可以像圖3-13，同時按〔Ctrl〕＋〔Page Down〕或〔Page Up〕。

按〔Ctrl〕＋〔Page Down〕，可以移動到右邊的工作表。按〔Ctrl〕＋〔Page Up〕鍵，則可以移動到左邊的工作表。

圖3-13　在工作表之間移動的快速鍵

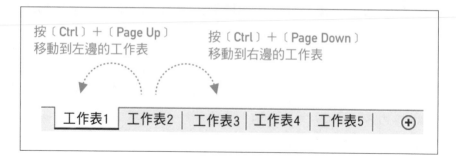

按〔Ctrl〕＋〔Page Up〕
移動到左邊的工作表

按〔Ctrl〕＋〔Page Down〕
移動到右邊的工作表

工作表1　工作表2　工作表3　工作表4　工作表5　　⊕

7 ｜ 插入列或欄的快速鍵：〔Ctrl〕＋〔+〕

在製作表格的過程中，有時候也會碰到需要插入列或欄的情況，雖然可以在需要插入列或欄的列號或欄名上按右鍵，再選擇「插入」功能。但還有另一種方法，如圖3-14所示，同時按〔Ctrl〕和〔+〕，就可以叫出「插入」的對話方塊。

在「插入」的對話方塊中，可以選擇要插入「整列」或「整欄」。如果要選擇「整列」，就按〔R〕鍵，要選擇「整欄」，就按〔C〕鍵，最後再按下「確定」，即可插入列或欄。順帶一提，選擇「整列」的〔R〕鍵是Row的縮寫；選擇「整欄」的〔C〕鍵則是Column的縮寫。

圖3-14 ┃ 插入列（或欄）的快速鍵

	A B C	D	E	F	G	H	I
1							
2	收益計畫						
3				第1年	第2年	第3年	
4	銷貨收入	元		800,000	1,040,000	1,352,000	
5	銷貨數量	個		1,000	1,300	1,690	
6	成長率	%		N/A	30%	30%	
7	單價	元		800	800	800	
8	費用	元		300,000	500,000	700,000	
9	薪資支出	元		200,000	400,000	600,000	
10	員工人數	人		1	2	3	
11	平均薪資支出	元		200,000	200,000	200,000	
12	租金	元		100,000	100,000	100,000	
13	營業淨利	元		500,000	540,000	652,000	

插入

插入
- ◎ 現有儲存格右移(I)
- ◎ 現有儲存格下移(D)
- ◉ 整列(R)
- ◎ 整欄(C)

［確定］　［取消］

① 點選要在上方插入列的儲存格，按〔Ctrl〕＋〔+〕

② 按〔R〕鍵，再按「確定」，即可插入列

在上一章說明Excel計算的檢查方法也有提到，如果前導參照的數字是在其他工作表上，必須確實確認參照的來源，此時，就可以按〔Ctrl〕＋〔[〕移動到前導參照的儲存格，確認參照來源是否正確。

以圖3-15為例，點選第一年銷售數量的儲存格D5後，按〔Ctrl〕＋〔[〕，即可直接移動到前導參照，也就是工作表「銷售量」的儲存格F8。

圖3-15　**移動到前導參照儲存格的快速鍵**

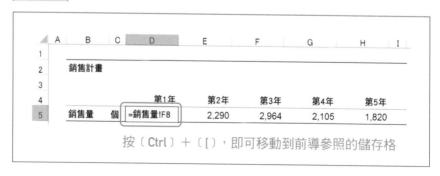

在我的 Excel 講座上，經常有人問：「要記住多少快速鍵才夠呢？」「有沒有哪本書或哪個網站彙總了所有必背的快速鍵呢？」

遇到這種問題，我都會回答：「不需要像個無頭蒼蠅般背快速鍵，等到工作上有需要的時候，再查詢即可。」

使用 Excel 的方式是各式各樣，利用 Excel 完成的工作也因人而異，依據作業的內容不同，需要用到的快速鍵也不同。比方說，進行財務會計分析的時候，和分析大量資料的時候，兩種分析的作業內容不同，會用到的快速鍵也不一樣。因此，並沒有什麼快速鍵是「必背的快速鍵」，請配合業務的內容，篩選自己需要的快速鍵。

本書介紹的快速鍵，基本上通用於各種業務範圍，不妨先把這些快速鍵記起來吧。其餘的快速鍵，等各位日後碰到「好像一直在重複同樣的作業，或許該學一下快速鍵」的情況，再上網搜尋即可，因為工作上用不到的快速鍵，背再多也沒有意義。

同理，函數也是一樣。我們常常會看到一些書籍或報導，標題是「不可不知的 Excel 函數」，但是，每個人會使用到的函數都是因作業內容而異，所以等到有需要的時候再學習即可。

懂得運用〔Alt〕鍵，就懂得運用Excel

　　接下來要介紹的是搭配〔Alt〕的快速鍵，先說明一下〔Alt〕鍵的使用方法。〔Alt〕鍵比〔Ctrl〕鍵更常用到，因此，熟習〔Alt〕鍵的功能，一定能夠大幅減少滑鼠操作，提升速度。首先，來確認〔Alt〕鍵的位置吧。如圖3-16所示，〔Alt〕鍵位於鍵盤的左下方。

　　搭配〔Ctrl〕使用的快速鍵，通常是同時按〔Ctrl〕和其他按鍵；不過，搭配〔Alt〕使用的快速鍵，很少需要同時按其他按鍵，而是像〔Alt〕〔H〕〔H〕這樣依序完成操作。

圖3-16 〔Alt〕鍵位於鍵盤的左下方

　　請按按看〔Alt〕鍵吧。如圖3-17所示，按下〔Alt〕鍵之後，會看到在「常用」、「插入」等索引標籤處，出現「H」、「N」等英數字。這些英數字代表的是打開那些功能區需要按的按鍵。

　　舉例來說，「常用」的索引標籤處顯示的是「H」，按按看〔H〕鍵。按下去之後，就會像圖3-18，打開「常用」的功能區，而且每個功能旁邊都會顯示對應的按鍵。

　　接下來，如果想把儲存格填上背景色彩的話，就按一下「填滿色彩」按鈕旁顯示的〔H〕鍵。按下去之後，會出現如圖3-19的色彩選單，接著，用方向鍵選定顏色之後，再按〔Enter〕，這樣就完成了背景色彩的設定。比起用滑鼠點「常用」，再點「填滿色彩」的「▼」等操作，用〔Alt〕〔H〕〔H〕設定背景色彩顯然快多了。

　　只要像這樣，按下〔Alt〕鍵，畫面上就會依序出現提示，告訴我們接下來該按哪個鍵以完成操作，這個功能就叫作「按鍵提示」。顯示按鍵提示，是〔Alt〕鍵的最方便的地方，不同於搭配〔Ctrl〕的快速鍵，〔Alt〕的快速鍵不必記住按鍵組合也沒關係，只要先按〔Alt〕，再按〔H〕，之後再根據顯示的英數字按鍵盤即可。在反覆操作的過程中，自然而然會記住哪些功能該按哪個鍵，不需要勉強記憶。

圖 3-17 **試著按按看〔Alt〕鍵吧！**

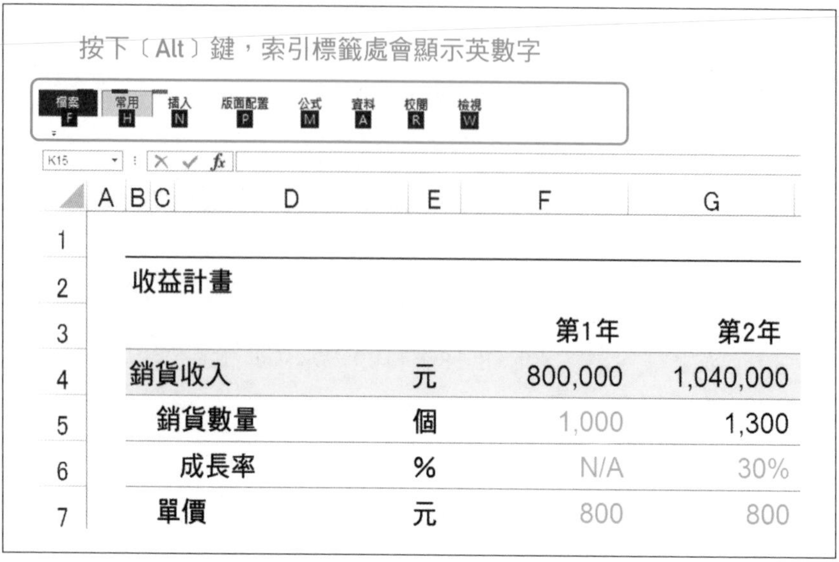

按下〔Alt〕鍵，索引標籤處會顯示英數字

檔案	常用	插入	版面配置	公式	資料	校閱	檢視
F	H	N	P	M	A	R	W

K15

	A	B	C	D	E	F	G
1							
2	收益計畫						
3						第1年	第2年
4	銷貨收入				元	800,000	1,040,000
5	銷貨數量				個	1,000	1,300
6	成長率				%	N/A	30%
7	單價				元	800	800

圖 3-18 **進入索引標籤的工能區**

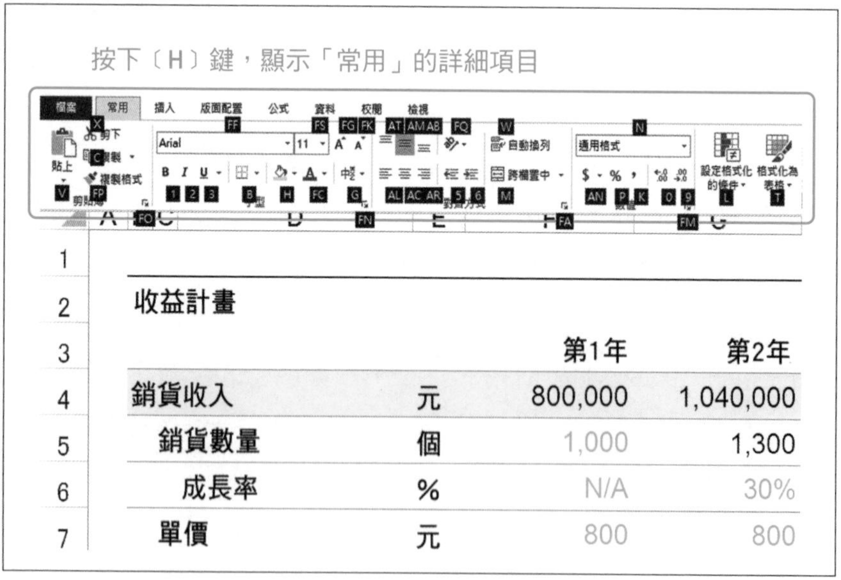

按下〔H〕鍵，顯示「常用」的詳細項目

	A	B	C	D	E	F	G
1							
2	收益計畫						
3						第1年	第2年
4	銷貨收入				元	800,000	1,040,000
5	銷貨數量				個	1,000	1,300
6	成長率				%	N/A	30%
7	單價				元	800	800

圖3-19　再進入下個步驟

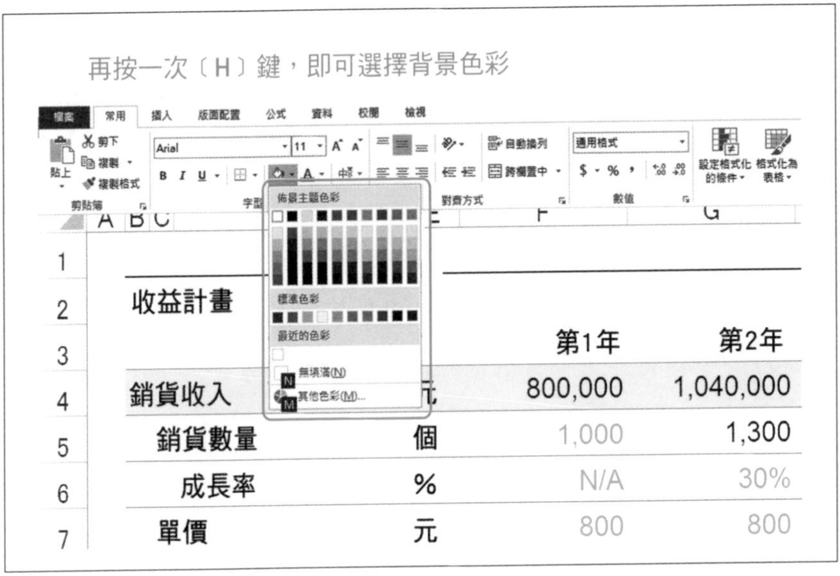
再按一次〔H〕鍵，即可選擇背景色彩
檔案
常用
插入
版面配置
公式
資料
校閱
檢視
剪下
複製
複製格式
貼上
剪貼簿
Arial
11
自動換列
跨欄置中
對齊方式
通用格式
數值
設定格式化的條件
格式化為表格
佈景主題色彩
標準色彩
最近的色彩
無填滿(N)
其他色彩(M)...
收益計畫
第1年
第2年
銷貨收入
元
800,000
1,040,000
銷貨數量
個
1,000
1,300
成長率
%
N/A
30%
單價
元
800
800

在搭配〔Alt〕使用的快速鍵中，希望各位至少把以下三組與格式有關的快速鍵記起來。

分別是變更背景色彩的〔Alt〕〔H〕〔H〕、變更文字色彩的〔Alt〕〔H〕〔F〕〔C〕，以及變更字型的〔Alt〕〔H〕〔F〕〔F〕。其他還有很多功能，請至少把這三組快速鍵記起來。

圖3-20 **活用〔Alt〕美化表格的快速鍵**

變更背景色彩	**Alt**	**H**	H
變更文字色彩	**Alt**	**H**	F	C
變更字型	**Alt**	**H**	F	F

3 | 靠右對齊的快速鍵：〔Alt〕〔H〕〔A〕〔R〕

我在第一章說明過文字靠左對齊、數字靠右對齊的原則（詳見51頁），儲存格中的文字或數字配置，同樣可以使用〔Alt〕鍵來完成。靠右對齊是〔Alt〕〔H〕〔A〕〔R〕，靠左對齊是〔Alt〕〔H〕〔A〕〔L〕。請用聯想的方式記憶，靠右對齊的〔R〕是Right，靠左對齊的〔L〕就是Left。

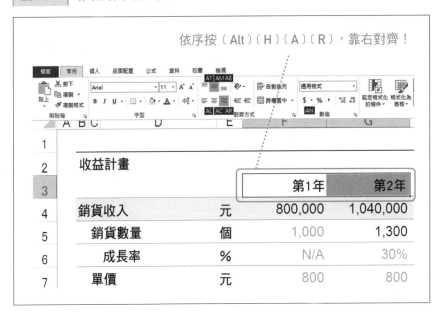

圖3-21　靠右對齊的快速鍵

依序按〔Alt〕〔H〕〔A〕〔R〕，靠右對齊！

		第1年	第2年
收益計畫			
銷貨收入	元	800,000	1,040,000
銷貨數量	個	1,000	1,300
成長率	%	N/A	30%
單價	元	800	800

4 ┃ 組成群組的快速鍵：〔Shift〕＋〔Alt〕＋〔→〕

　　想把不需要顯示的儲存格隱藏起來時，可以利用「組成群組」的功能。這項功能的快速鍵是先點選要隱藏的列（或欄）的列號（或欄名），然後同時按住〔Shift〕和〔Alt〕，再按下方向鍵的〔→〕。操作時要注意的是，必須同時按住〔Alt〕鍵。

　　要取消群組時，則是先點選群組化的列（或欄）的列號（或欄名），再按〔Shift〕＋〔Alt〕＋〔←〕。

同樣的操作方式，也可以先點選儲存格，再把列或欄組成群組，或是取消群組。如圖3-22所示，當畫面跳出「組成群組」的對話方塊後，如果要組成群組的是列，就按〔R〕，如果是欄，就按〔C〕，然後再按〔Enter〕即可。

圖3-22 **隱藏列（或欄）的「組成群組」快速鍵**

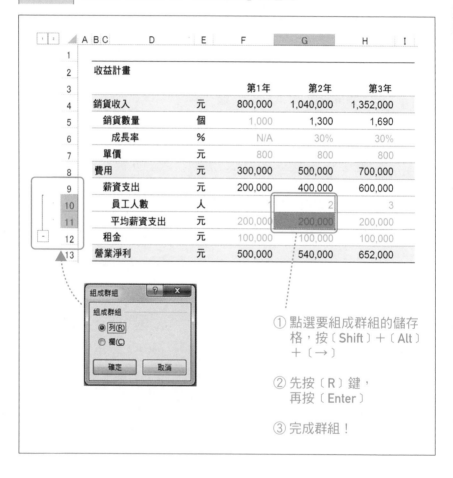

① 點選要組成群組的儲存格，按〔Shift〕＋〔Alt〕＋〔→〕

② 先按〔R〕鍵，再按〔Enter〕

③ 完成群組！

檢查算式的前導參照或從屬參照，可以利用追蹤功能。追蹤功能的快速鍵第二章也有介紹過（詳見113頁），不過，這個功能很常用到，這裡就再複習一次吧。

追蹤前導參照的快速鍵是〔Alt〕〔M〕〔P〕，追蹤從屬參照是〔Alt〕〔M〕〔D〕，移除箭號是〔Alt〕〔M〕〔A〕〔A〕。

這三組快速鍵非常重要，請務必牢記在心，利用快速鍵來追蹤參照，進行檢查，提高計算的正確性。

圖 3-23　**追蹤功能的快速鍵（很重要！）**

追蹤前導參照	**Alt**	**M**	P	
追蹤從屬參照	**Alt**	**M**	D	
移除箭號	**Alt**	**M**	A	A

我在第二章也提到，利用折線圖來檢查數字的推移，比較容易發現問題。折線圖也可以用快速鍵來完成。

如圖3-24所示，先選取要觀察數字推移的儲存格，接著依序按〔Alt〕〔N〕〔N〕，最後再按〔Enter〕，就能完成折線圖，確認數字的變動。

圖3-24　折線圖的快速鍵

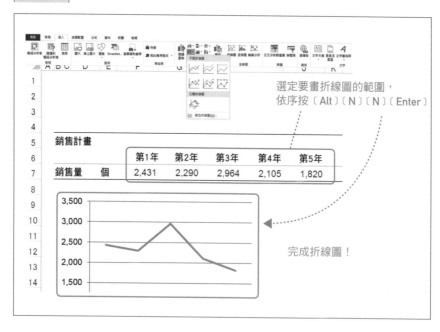

　　說到最常使用的快速鍵，我想應該就屬「複製貼上」的〔Ctrl〕＋〔C〕和〔Ctrl〕＋〔V〕。不過，複製貼上也有很多種類型，不僅可以直接貼上複製的資料，還可以選擇貼上的形式，是使用相當頻繁的功能。

　　如圖3-25，假設現在剛完成「銷貨收入」列的背景色設定，接下來，要讓「費用」列也套用相同的背景色。此時，把「銷貨收入」的範圍複製起來，如果就這樣直接貼在「費用」的範圍，會連算式都一起貼上，整列的數字都會被改掉。因此，如果只是要複製背景色等格式到「費用」列的話，就必須使用「複製格式」的功能。

　　要如何使用快速鍵來複製格式呢？首先，點選「銷貨收入」列上完成背景色設定的儲存格，按〔Ctrl〕＋〔C〕複製，接著選取「費用」列上要貼上格式的範圍，依序按下〔Alt〕〔H〕〔V〕〔S〕。這時，畫面會跳出「選擇性貼上」的對話方塊，其中有一個選項是「格式（T）」，按下〔T〕鍵，選擇「格式」，然後按〔Enter〕，就可以只複製「銷貨收入」列的格式到「費用」列上了。

　　有很多種情況都可以利用選擇性貼上的功能，**有時是只複製算式而不複製格式，有時是只複製數字而不複製算式，碰到這種「只複製○○」的情況，只要依序按〔Alt〕〔H〕〔V〕〔S〕，叫出「選擇性貼上」的對話方塊，就可以選擇要以什麼形式貼上。**

圖 3-25 只複製格式的快速鍵

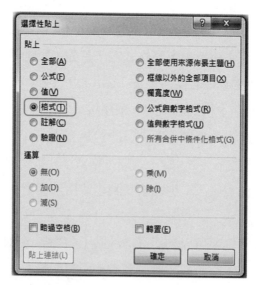

A BC	D	E	F	G	H	I
1						
2	收益計畫					
3			第1年	第2年	第3年	
4	銷貨收入	元	800,000	1,040,000	1,352,000	
5	銷貨數量	個	1,000	1,300	1,690	
6	成長率	%	N/A	30%	30%	
7	單價	元	800	800	800	
8	費用	元	300,000	500,000	700,000	
9	薪資支出	元	200,000	400,000	600,000	
10	員工人數	人	1	2	3	
11	平均薪資支出	元	200,000	200,000	200,000	
12	租金	元	100,000	100,000	100,000	
13	營業淨利	元	500,000	540,000	652,000	

① 選取並複製銷貨收入列
② 選取費用列，依序按〔Alt〕〔H〕〔V〕〔S〕

③ 按〔T〕鍵，選擇格式，再按〔Enter〕
④ 費用列上複製了銷貨收入的格式！

此外，也可以不經由「選擇性貼上」的對話方塊，直接選擇貼上的形式。例如，只要貼上格式的話，就按〔Alt〕〔H〕〔V〕〔R〕；只要貼上算式的話，就按〔Alt〕〔H〕〔V〕〔F〕。當按到〔Alt〕〔H〕〔V〕的階段，就會顯示與貼上形式對應的按鍵。剛開始還不熟悉的時候，可以看著按鍵提示，選擇要貼上的形式。

---

column ｜ Mac的Excel

本書是以 Windows 版的 Excel 為前提進行解說，Windows 和 Mac 的 Excel，最大的差別就是快速鍵。

第一章和第二章說明的格式或計算檢查等內容，Mac 也都適用。不過，Mac 的 Excel 快速鍵卻與 Windows 相差甚遠，有些功能甚至還沒有快速鍵。考量到這一點，如果工作主要是使用 Excel 的話，作業系統還是選擇 Windows 比較好。附帶一提，投資銀行的人全都使用 Windows。

儲存檔案或關閉檔案也可以利用快速鍵來完成。

我在第二章提到，存檔時一定要「另存新檔」（詳見133頁）。「另存新檔」的對話方塊，可以按〔Alt〕〔F〕〔A〕打開，或是按〔F12〕鍵也有同樣的功用。請依據個人的使用習慣，記住操作上比較順手的方法。

儲存檔案的快速鍵則是〔Ctrl〕＋〔S〕。基本上，我都是建議要另存新檔，但如果是很簡單的計算的話，用儲存檔案的方式覆蓋舊檔也沒關係。

關閉檔案的快速鍵有兩種類型，關閉單一的Excel檔案，可以按〔Ctrl〕＋〔W〕。如果同時開啟多個Excel檔案，想要一次關閉時，按〔Alt〕〔F〕〔X〕，就可以關閉所有檔案，結束Excel的運作。

圖 3-26　**儲存檔案和關閉檔案的快速鍵**

另存新檔	Alt　　　F	A（或 F12）
儲存檔案	Ctrl ＋ S	
關閉單一 Excel 檔案	Ctrl ＋ W	
關閉所有 Excel 檔案	Alt　　　F	X（或 Alt ＋ F4）

其他加速處理的方法

除了〔Ctrl〕和〔Alt〕的快速鍵之外，再介紹一些可以提升速度的方法吧。鍵盤最上方有一排從〔F1〕、〔F2〕到〔F12〕的按鍵，這些按鍵各有用途，我建議先記住〔F2〕和〔F4〕的功能。

第二章說明過〔F2〕鍵是用來檢查算式，點選儲存格後，按一下〔F2〕，就會顯示儲存格內的算式，顏色也會變得和前導參照儲存格一樣，很容易確認算式的正確性。〔F2〕鍵可以讓儲存格變成可編輯的狀態，所以不僅能夠用來檢查算式，想要變更算式或修正文字的時候，都可以利用〔F2〕鍵來變更或修正。

〔**F4**〕**鍵則是重複相同操作的快速鍵**。請見圖3-28，假設現在剛替「銷貨收入」列填上背景色，接下來，想在「費用」和「營業淨利」列也填上相同的顏色。如果得一一選擇範圍，再選擇背景色，實在有點麻煩。

圖3-27 | **讓〔F2〕鍵和〔F4〕鍵成為你作業上的利器！**

確認儲存格的內容	〔F2〕鍵
重複相同的作業	〔F4〕鍵

碰到這種情況，可以在設定好「銷貨收入」的背景色之後，直接選取「費用」的範圍，按下〔F4〕，即可填上相同的背景色。接下來，再選取「營業淨利」的範圍，同樣按下〔F4〕，就可以填上相同的背景色。要提升重複作業的效率，〔F4〕鍵是不可或缺的快速鍵。

另外，〔F4〕鍵也有切換相對參照和絕對參照的功能。當儲存格中顯示游標時，按〔F4〕鍵會切換參照的類型。因此，如果要使用〔F4〕鍵來重複作業，請先確認儲存格中是否有顯示游標。

圖 3-28　**善用〔F4〕鍵，輕鬆完成重複的作業**

	A B C	D	E	F	G	H	I
1							
2	收益計畫						
3				第1年	第2年	第3年	
4	銷貨收入		元	800,000	1,040,000	1,352,000	
5	銷貨數量		個	1,000	1,300	1,690	
6	成長率		%	N/A	30%	30%	
7	單價		元	800	800	800	
8	費用		元	300,000	500,000	700,000	
9	薪資支出		元	200,000	400,000	600,000	
10	員工人數		人	1	2	3	
11	平均薪資支出		元	200,000	200,000	200,000	
12	租金		元	100,000	100,000	100,000	
13	營業淨利		元	500,000	540,000	652,000	

① 變更銷貨收入的背景色
② 接著選取費用列，按〔**F4**〕，即可變更費用列的背景色

1 | 表格的縮放：〔Ctrl〕＋滑鼠滾輪

Excel表格太大的話，很不容易閱讀，為了瀏覽整張表格，有時候需要把畫面縮小，為了方便修正計算內容，有時候又要把畫面放大。**縮放畫面雖然也有快速鍵，但是比起鍵盤操作，使用滑鼠操作速度更快。**

大部分的滑鼠都像圖3-29一樣，在左右鍵的中間有一個滾輪，要縮放畫面的時候，就可以按〔Ctrl〕鍵，搭配這個滾輪。**按住〔Ctrl〕的同時，把滾輪向前滾，即可放大畫面，把滾輪向後滾，即可縮小畫面。**

圖3-29　**滑鼠滾輪非常方便**

按〔Ctrl〕＋滑鼠滾輪，縮放畫面

此外，我會建議，在製作Excel表格的時候使用大螢幕。因為畫面大，細部的計算一眼就可以看見，可以省下縮放Excel的工夫，作業也會更輕鬆。

2 ｜ 硬體環境

圖3-30是我在進行Excel作業時的硬體環境。

雖然使用筆記型電腦的人應該很多，但筆記型電腦需要外接各種配件，打造出像桌上型電腦般的環境，才能夠提升作業速度。我平常也是使用筆記型電腦工作，不過我還外接了鍵盤、螢幕和滑鼠等。

首先是鍵盤，筆記型電腦的鍵盤配置因製造商而異，有些筆記型電腦的〔Page Up〕和〔Page Down〕等按鍵位置還不太容易辨識，此外，由於按鍵也比較小，因此最好能夠像桌上型電腦一樣，外接一組有數字鍵的鍵盤。

螢幕的部分，我也會外接一個大螢幕。最近大螢幕的價格越來越便宜了，不妨考慮添購。附帶一提，在投資銀行，會使用兩部大螢幕，要把Excel表格貼在Power Point上時，一個螢幕顯示著Excel，一個顯示著Power Point，這樣一來，就可以省去切換畫面的時間，還可以檢查Excel表格複製貼上後的狀態。滑鼠則使用有滾輪的滑鼠。

圖3-30　作業時，用大螢幕配大鍵盤！

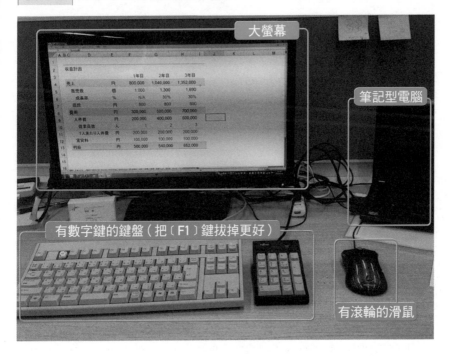

大螢幕

筆記型電腦

有數字鍵的鍵盤（把〔F1〕鍵拔掉更好）

有滾輪的滑鼠

　　把這些配件全部接上筆記型電腦，打造出跟桌上型電腦相差無幾的作業環境。外出時，只要帶著筆記型電腦，不必擔心遺漏哪個檔案，抵達定點後也可以繼續作業。

Excel表格也經常需要列印出來，下面介紹幾組和列印有關的快速鍵。首先，列印的快速鍵是〔Ctrl〕＋〔P〕。在想要列印的工作表畫面上，同時按下〔Ctrl〕和〔P〕，即可叫出列印的對話方塊，接著再按〔Enter〕，即可開始列印。

如果只需要列印特定範圍，不需要全部列印的情況，可以先選取要列印的部分，再依序按〔Alt〕〔P〕〔R〕〔S〕，就可以把列印範圍限制在選取的部分。先決定好範圍，再執行列印功能，即可列印出特定的範圍。

如果想把內容集中列印在一頁上，或是把A4改成A3尺寸，要更改相關設定的時候，只要按〔Alt〕〔P〕〔S〕〔P〕，就可以叫出版面設定的對話方塊。

圖3-31 **列印的快速鍵**

列印	Ctrl ＋ P			
指定列印範圍	Alt	P	R	S
設定列印頁面	Alt	P	S	P

增加使用Excel的機會

為了提升Excel的計算速度，我們可以如何增加Excel的使用機會？

第二章提到，Excel的作業很複雜，盡量都交給同一個人完成，會比較有效率。要是多人使用同一個檔案，很容易搞不清楚誰改了什麼地方。為了增加使用和熟鍊Excel的機會，擔任Excel的負責人是最有效的方式，希望各位都能夠積極爭取擔任負責人。

圖 3-32 | **提升Excel作業速度的訣竅**

在專為大學生開設的Excel講座上，我都會建議學生：「成為新鮮人時，請負責利用Excel計算數字的工作。」

許多大學生都期望出社會以後，可以投入新商品或新服務的企畫工作。但是，才剛從大學畢業的新鮮人，即使提出新商品或新服務的企畫案，也很難說服公司採納，很有可能才剛說完：「這項創新的服務能夠滿足很多使用者。」就被經驗豐富的上司以一句：「年輕人懂什麼！」慘遭駁回。

然而，**數字很公平，即使缺乏經驗，只要在企畫中提出具體的數字，就能增添說服力**。舉例來說，如果能提出：「執行這項企畫，一年可以獲得3,000萬元的淨利，最壞的情況，也只會虧損200萬元。」應該就能替這項企畫增加不少說服力吧。我認為，**越是缺乏經驗的年輕人，越應該把握這種用數字替自己說話的機會**。

要增加Excel的使用機會，還有一個方法，就是不要使用計算機。**即使是很簡單的計算，也請養成用Excel計算的習慣，不要用計算機，慢慢的，就會對Excel越來越熟悉，技巧越來越純熟。**

我會建議不要使用計算機，還有別的理由。一是因為計算機無法清楚顯示計算的過程，要是中間算錯了，也不容易發現。**使用Excel的話，可以看見計算的過程，比較容易發現錯誤，同時也能在事後變更計算的條件。**

使用計算機的過程只有自己知道，相對於此，使用Excel的

話，只要把操作用的電腦連接到會議室的螢幕上，就能投影給團隊全員看。公開計算的過程，也比較容易針對數字進行討論。

想要學習Excel，但工作上很少有機會的話，或許在公司內部舉辦Excel讀書會也是一個不錯的方法。

舉辦企業訓練時，我通常會安排兩天的課程，第一天全部用來學習Excel的基本知識和技術。然後隔一到兩週，在第二天的課程上，讓參加者自己選擇一個主題，利用Excel模擬未來的銷貨收入、費用和淨利，並在課程最後發表結果。主題沒有任何限制，可以是自己有興趣的企業，也可以模擬公司的成本削減策略。

在過去舉辦的講座中，也曾經以「世界盃的收益預測」為題目。畢竟有很多人對Excel十分排斥，設定有趣一點的題目，比較能夠提高參加的興致。

很多人會對Excel心生排斥，都是因為不曾按部就班地完成一份Excel檔案。因此，在我的講座上，我會讓學員在印象最深刻的時候獨力完成Excel，經由這樣的過程，發現：「原來我也可以做出完成度這麼高的Excel！」從而產生自信。

舉辦Excel讀書會也是很好的學習機會，可以觀摩團隊成員製作的Excel，對自己非常有幫助。此外，每個人在做Excel的時候可能會有不同的習慣，互相檢視彼此的Excel，也是一個矯正壞習慣的機會。

講座或讀書會結束之後，我經常聽到像這樣的評價：「團隊使用的格式統一以後，看別人做的Excel就不再那麼有壓力了。」「知道要如何做出清楚易懂的Excel，因為看得懂哪些部分在計算什麼，現在很快就能進入主題，開始討論。」

　　在公司內部貫徹Excel基本原則，這點很重要。如果團隊能夠達成這樣的共識，就會堅守這項原則，如此一來，團隊整體的Excel能力便可大幅提升。

　　我想聊一下關於投資銀行的工作量。在一場專為大學生舉辦的Excel講座上，曾經有參加者問我：「外商投資銀行的工作量到底有多少？」繁忙的程度，取決於是否有企業併購等案件，不能一概而論，不過，我想應該還是可以歸類為相當忙碌的行業。

　　以我自己為例，當時我幾乎每天都工作到深夜一點左右。在我的記憶中，如果那一陣子每天都工作到凌晨三點的話，會覺得：「最近還真忙呀。」反之，如果在深夜十二點左右離開辦公室的話，就會感受到周圍不太友善的視線不斷投射過來，被認為：「那傢伙最近很閒嗎？」

　　我還記得剛進公司的第一年，除了元旦以外，我每天都到公司報到，週末也不例外。除夕那天也是工作到深夜（令人吃驚的是，除了我以外，還有幾個人也在辦公室加班）。由於平常總是工作到深夜，根本沒時間在家看電視。除夕那天深夜回到家，打開電視，電視上正在播放搞笑節目，但我完全不認識那個搞笑藝人，「原來今年受歡迎的藝人是這樣的啊……」這就是我在投資銀行第一年的除夕夜。

　　我聽說雷曼事件以後，投資銀行的工作已經比以前輕鬆許多了，不過我想應該還是很忙吧。由於工作必須花很多時間在Excel的作業上，因此，能夠記住多少Excel快速鍵，提升作業的速度，會大幅影響睡眠的時間，所以大家才都拚死拚活地記住快速鍵。

增加用數字思考的機會

Excel是計算數字的工具，經常計算數字的企業或團隊，一定經常使用Excel，相關的能力當然也會提升。所以，想增加團隊使用Excel計算的機會，必須先提升團隊對數字的重視。

要建立重視數字的團隊文化，就要積極地在各種工作場合上導入數字，比方說，「本期目標是銷貨收入達到1,500萬元」，**把團隊的目標化為數字**。

圖 3-32 **提升 Excel 作業速度的訣竅**

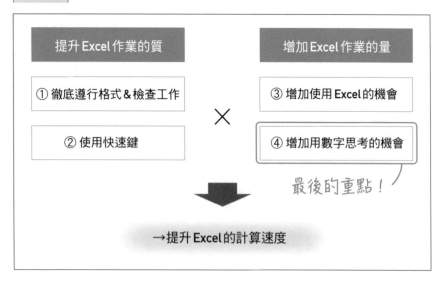

像這樣有一個明確的目標，在思考每一個決策時，自然而然會討論：「這麼做的話，距離銷貨收入1,500萬元的目標，可以縮短多少距離？」

　　另外，在人事考核上也可以導入數字。應該有不少公司每半年或一年會進行一次績效考核吧？考核時，如果能夠在「○○同事貢獻了新企畫，還參與執行」之外，再加上「最後創造了○○的銷貨收入」，用數字來衡量貢獻度，不僅能讓考核更公平，也能大幅增加團隊運用數字、使用 Excel 的機會。

　　當然，很多情況是無法用數字衡量的，不過，如果不刻意這麼做，團隊與數字會越來越疏離。即使是難以用數字衡量的事情，也應該試著這麼做。

用數字思考，投資銀行就常有這種機會。投資銀行在面試大學畢業生時，會出一種叫做「費米推論法」的題目，目的是希望面試者用概算的方式計算出難以實際測量的數值，舉例來說，「全日本有多少人孔蓋？」就是其一。

我在接受投資銀行的名門高盛證券（Goldman Sachs）面試的時候，面試官問我：「你認為全日本有多少加油站？」由於當時我已做足充分準備，因此回答得相當流暢。問題是之後的事……

面試官最後說：「面試就告一段落了。你有什麼想問的問題嗎？」

當時還是大學生的我莫名地想展現幽默感，竟然開口說：「請問，高盛證券以加油站（Gas Station）為面試題目，是因為英文縮寫同樣是GS嗎？」

在瞬間的沉默之後，高盛證券的人回答：「哈哈哈，有可能喔！挺有意思的嘛！」但眼裡卻不含半點笑意。

這場面試最後當然是以失敗告終，禍從口出就是這麼一回事。因此，我要鄭重地向求職或轉職的人呼籲，千萬別像我一樣，在面試的時候試圖展現幽默，卻弄巧成拙！

徹底活用 Excel，強化數字力

——準確預測「未來能賺多少錢？」

為什麼要做收益模擬

　　到目前為止，我們介紹了投資銀行的 Excel 基本原則和方法，可以運用在各種業界和商業現場。第四章的主題，就是如何運用這些技巧來完成收益模擬，這裡同樣不會用到巨集或函數。我會具體說明商業模擬要怎麼做，包括分析收益結構，並區分成「銷貨收入成長」和「維持現狀」等類型後，利用 Excel 模擬收益，觀察在複數條件更動之下，收益會如何變動。

　　提高利潤是企業存續的最低必要條件，而商務人士工作的最終目的，就是創造利潤。Excel 是計算利潤的工具，商務人士當然要學會。

　　近幾年來，商業環境漸趨複雜，預測收益的重要性日益提升。利用 Excel 模擬收益，把各種經營環境納入考量，說是商務人士的必備能力也不為過。

　　如同前言的標題，本書的目標，就是教你透過 Excel，鍛鍊數字力。

　　請看圖 4-1 兩人的發言，請問你認為哪一個人比較有說服力呢？

圖 4-1　透過模擬，提升商業決策力

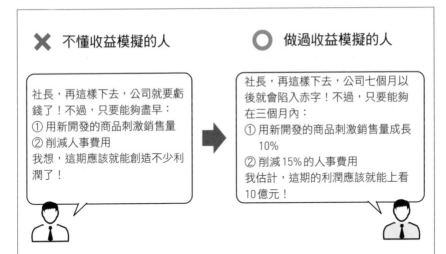

比較一下不懂模擬收益的人和懂得模擬收益的人怎麼說話，就可以實際感受到其重要性了吧！做過收益模擬的人，在發言中會提出具體的數字，聽起來就很有說服力。

團隊在提出各種企畫案，或是作業流程的改善方案時，計算這項方案會對利潤造成多少影響，是很重要的事。因為唯有實際計算出一個企畫案或改善方案能夠帶來多少利潤，團隊才能夠決定事情的優先順序，判斷要從哪裡開始著手。

因為舉辦企業訓練，和其他工作場合上，我接觸過很多商務人士，我發現，很多團隊似乎都不太擅長這類的優先順序判斷，很多人只會說：「因為社長命令這麼做，所以擺在第一順位。」

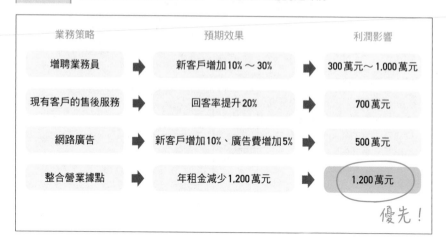

圖4-2　模擬出對利潤的影響後，才能夠決定優先順序

業務策略		預期效果		利潤影響
增聘業務員	➡	新客戶增加10%～30%	➡	300萬元～1,000萬元
現有客戶的售後服務	➡	回客率提升20%	➡	700萬元
網路廣告	➡	新客戶增加10%、廣告費增加5%	➡	500萬元
整合營業據點	➡	年租金減少1,200萬元	➡	1,200萬元

優先！

　　這種決定優先順序的方式並不合理。**我們都應該以建立一個能夠根據數字進行現場判斷的團隊為目標，能夠清楚說出：「即使社長指示以A方案為最優先，但是經過數字分析之後，建議先執行B方案會比較好。」**尤其是身為經營者的人，請務必理解收益模擬的重要性。

1 ｜ 模擬案例 ① ：漢堡店

　　學會建立收益模擬的模型，就可以計算一項因素會對利潤造成多少影響。

　　在此想請各位思考一個問題，題目請見圖4-3，這是我在模擬訓練的講座上向參加者提出的問題。

圖4-3　模擬出對利潤的影響後，才能夠決定優先順序

- 你是一家漢堡店的經營者
- 漢堡店生意很好，下個月的銷售量預計比這個月增加10%
- 你也可以提高漢堡的售價；如果售價提高10%，預計下個月的銷售量，應該會和這個月持平

請問：
① 維持現在的價格，讓銷售量增加10%
②售價提高10%，維持現在的銷售量
哪一個策略才能帶來更多利潤？

　　多數參加者都認為①和②的結果是一樣的，他們的理由是，「售價×銷售量」會計算出相同的結果，雖然沒錯，但「售價×銷售量」得出的是銷貨收入，而不是利潤。

　　有金錢概念的人會直接回答②。為什麼呢？因為①和②的銷貨收入雖然相同，但費用卻不一樣。①的情況，由於銷售量增加10%，材料費也會增加10%，所以利潤並不會增加那麼多。另一方面，②的情況因為銷售量不變，費用也不變，所以售價增加多少，利潤就增加多少。

　　也就是說，**比起增加10%的銷售量，售價提高10%，更能夠創造利潤。**

其實這個問題，是我在投資銀行的時候前輩考我的題目。他見我無法立即回答，當場訓斥我：「身為金融業的專業人士，連這個問題都答不出來，太不像話了！」

　　話雖如此，現實生活中能夠像這樣清楚分析數字的人並不多。思考這個問題的時候，應該也有很多人會這麼想：「提高售價的話，說不定會流失客源，而且，人潮多一點也比較熱鬧，所以還是維持原狀比較好。」

　　不過，**無法掌握原本應得的利潤，將阻礙企業成長，是企業不樂見的情況**。所以，即使只能創造一元的利潤，也要仔細思考。確實計算出一個方案將創造出多少利潤，或是會對利潤造成多少影響，也是同樣重要。

　　在企業訓練課程上，我一向強調要從利潤的角度思考，因此，在做模擬訓練的時候，我會提出各式各樣的假設，例如，「價格提高10%的話，利潤會如何變動？」「倘若平均單價增加1.5倍，使客戶數量減少一半，利潤會增加還是減少？」等等。

　　如果團隊能夠像這樣計算出各項因素對利潤的影響，並根據計算的結果來決定策略執行的優先順序，就是一個有數字概念、數字力很強的團隊。

在我的模擬訓練課程上，通常會以實際的企業作為模擬案例，常用的一個案例是餐廳「我的義大利菜」。

「我的義大利菜」是日本一家立食式的義大利餐廳，因為便宜又好吃，上門的客人總是絡繹不絕。餐廳能夠提供便宜又好吃的料理，祕訣就在於「立食」，因為必須站著吃，客人吃飽喝足，很快就離開餐廳，餐廳的**翻桌率**才會這麼高。由於來客數增加，即使採取低價策略，依然能夠創造利潤，這就是這家餐廳的商業模式。

聽到這裡，各位可能會心想：「原來如此，真是厲害的商業模式。」但光是這樣還稱不上是數字力很強的團隊。各位知道「我的義大利菜」做過多少利潤的模擬嗎？

這家餐廳的社長坂本孝先生這麼說：

「如果**翻桌率**從四次提高到九次，月營業額將從3,600萬日元增加到8,100萬日元，平均每月淨利將從721萬日元增加到1,883萬日元。全年淨利就有可能上看2億2,596萬日元。

即使料理的成本提高到95%，預估淨利還是可達235萬日元。由此可知，**翻桌率**創造利潤的關鍵。

最重要的是，這項策略要成功，必須有大量的顧客支持，從早到晚，甚至到深夜，無時無刻都高朋滿座才有可能實現。」（坂本孝《我的義大利菜、我的法國菜》，160頁）

怎麼樣？非常具體吧。提高翻桌率，會對利潤造成多少影響，做了非常確實的模擬。由此可見，每一個成功的商業模式背後，都有支撐其運作的數字。書中還有這麼一段話：

「靈光一閃之後，還要把想法化為數字。化為數字的想法，與過往的常識差距越懸殊，獲勝的機率就越高。」（同書30頁）

附帶一提，這家餐廳的創始成員之一安田道男先生，原本是在投資銀行業工作。從投資銀行轉換跑道到餐飲業，算是很令人訝異的特例，但我想，「我的義大利菜」能夠發展出如此縝密的戰略，當初在投資銀行訓練出來的模擬技巧，想必也有派上用場吧。

3 ｜ 這次的模擬題目

接下來，我將根據設定好的題目，示範如何建立模擬模型。第一道題目請見圖4-4。

在這個汽車銷售門市的案例中，基本的數值設定如下：

- 營業收入包含兩個項目

  銷售汽車的收入：第一年3億元，第二年以後每年成長3%

  售後服務的收入：預期為穩定的收入，每年維持在2億元

- 費用也有兩個項目

  薪資支出：員工人數35人×每人平均年薪700萬元

  銷售管理費：每年維持在2.3億元

圖 4-4	**題目1：製作收益預測資料**

主角	汽車銷售門市的課長
工作內容	門市的營運和收支管理等 過去沒有製作收益預測資料的經驗
題目	區域經理要求：「希望各門市主管製作門市未來三年 的收益預測資料。」

接下來，我們就試著站在主角，也就是門市課長的立場，開始建立收益預測的模型吧。不過話說回來，突然被要求用Excel做商業模擬，要從哪裡開始呢？即使打開了Excel，應該也有很多人就這麼僵在電腦前，不知道該如何是好。

圖4-5　**思考收益結構**

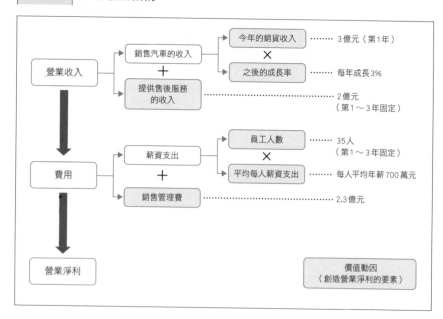

首先，我們要做的第一件事，就是畫出模型的「設計圖」。把這個商業模式創造收益的要素，彙總成樹狀的結構圖。

汽車銷售的收益結構如圖4-5所示。

從這張圖來看，只要知道右方藍色底色的數值，就可以由右向左，一層層算出每一個項目，最後算出淨利。換句話說，要模擬收益數字，就要試著更動藍色部分的數字。**換言之，藍色部分的數字是創造營業淨利的要素，又稱為「價值動因」。**

要建立模擬模型，必須先像這樣明確區分出哪些部分是價值動因（可更動的數字），哪些部分不是價值動因（不可更動的數字）。

把這些項目整理成收益結構，再利用Excel呈現，就會得到如圖4-6的表格。

2 ｜ 來複習 Excel 吧

在此稍微複習一下第一章的內容。以下是希望各位在製作表格時的注意事項：

用顏色區分數字，手動輸入的數字為「藍色」，計算的結果為「黑色」。因此，價值動因的數字為手動輸入的「藍色」，只要調整藍色的數字，就可以模擬營業淨利的變動。

圖4-6 把收益結構製作成 Excel 表格

藍字是價值動因（可更動的數字）

		百萬元	第1年	第2年	第3年
收益計畫					
營業收入	百萬元		500	509	518
汽車銷售	百萬元		300	309	318
成長率	%		N/A	3.0%	3.0%
售後服務	百萬元		200	200	200
費用	百萬元		475	475	475
薪資支出	百萬元		245	245	245
員工人數	人		35	35	35
平均薪資支出	百萬元		7	7	7
銷售管理費	百萬元		230	230	230
營業淨利	百萬元		25	34	43

配合收益結構，細項向右縮排

　　項目名稱的部分，要把細項向右縮排。這樣一來，收益結構便一目瞭然，例如，「營業收入」是由「汽車銷售」和「售後服務」構成。

3 ｜ 建立收益結構的訣竅

　　思考收益結構有兩個重點，一是「先大致完成架構」，二是「盡量讓數字連動」。

　　第一個重點「先大致完成架構」，意思就是一開始的項目最好

不要太多。以這個案例來說，就是不要在一開始就把銷售汽車的收入再細分成A車、B車、C車的銷貨收入。

為什麼要這麼做呢？因為Excel的作業非常繁複，常常做著做著，耐心就被消磨掉，「算不下去了，我放棄！」為了避免這樣的狀況發生，一開始最好簡化收益結構的項目，先大致完成架構，才能確保最後能夠順利完成收益結構圖。

如果無論如何都必須細分項目的話，也請先整理出簡單的收益結構，之後再慢慢細分下去。

第二個重點「盡量讓數字連動」，就是要讓收益結構的項目一層一層緊密連動。以這個案例來說，薪資支出＝員工人數×平均每人薪資支出，因此，薪資支出就是與員工人數互相連動的項目。這樣的連動能夠精細到什麼程度，對於模擬的準確度是很重要的關鍵。

4 ｜ 模擬案例 ③：麥當勞

關於數字連動的部分，我們再來介紹一個事例吧。

日本麥當勞開始以一百日元的低價販賣咖啡時，當時的社長曾經針對這項策略這麼說：「買咖啡的客人會另外掏錢購買大麥克，所以從結果來說，還是能夠回收。」說明了咖啡的銷售量與大麥克

的銷售量互相連動，而這個條件正是這項策略得以成立的依據。

如果由我來訂定麥當勞的銷售計畫，我可能會設定「咖啡的銷售量＝大麥克的銷售量×1.5倍」，讓咖啡和大麥克的銷售量互相連動。

像這樣，讓各個項目連動，可以提高模擬的準確度。但有一點很重要，不要輕易用會計的觀念思考數字的連動。

會計用語當中有「變動費用」和「固定費用」等名詞。變動費用指的是與營業收入連動的費用，例如材料費用等；固定費用指的則是未直接與營業收入連動的費用，例如租賃費用等。請先思考一下，租賃費用真的沒有和營業收入連動嗎？

一項事業有沒有可能因為「營業收入增加」→「增聘員工」→「擴建辦公室」→「租賃費用提高」，呈現這樣的結構？如果是這樣的話，就必須讓營業收入和租賃費用連動才對。所以不能輕易用會計的觀念斷言「租賃費用＝固定費用＝未與營業收入連動」。

有些項目乍看之下毫無關連，實際上卻有可能會互相牽動，所以在進行模擬的時候，請確實掌握商場上的實際運作，讓項目互相連動，提高模擬的準確度。

思考假定情況

　　我在幫企業做員工訓練時，發現有不少企業或事業部門只會做一種版本的收益計畫，這其實沒什麼意義。**因為光靠一種版本並不能夠理解經營的風險，唯有假定各種情況，改變價值動因，才能夠預測當計畫順利時，可以創造多少利益；在最惡劣的情況下，又必須承擔多少損失。**

　　再回到汽車銷售門市的案例，區域經理管轄區域內多處營業據點，無法一一監督每一家門市，難以預期各別的風險，因此，門市的負責人必須把所有可能面臨的風險都向上呈報，讓上司了解在各種假定情況下，合理預期的收益會介在什麼「範圍」。

| 1 | 假定情況至少要設定三種版本

　　關於假定情況，至少要設定「一般情況」、「樂觀情況」和「悲觀情況」三種，每一種情況大致如下：

● **一般情況**

　　維持過去的成長趨勢，不過於保守的預估。上市公司發表的業績預測，通常都是一般情況下的預測。

● 樂觀情況

比起一般情況，對收益的預估更積極樂觀。公司內部設定的營業目標，這類的目標數值，通常都是樂觀情況下的預測（多數情況下，公司內部設定的目標數值都高於對外發表的目標）。

● 悲觀情況

假定最壞結果的情況。負責管理公司資金的財務長，就經常會使用這個版本，例如要估算「企業收益減少多少，將無法支付員工薪水？」就會假定悲觀情況。

2 ｜ 模擬案例 ④：東京迪士尼樂園

來介紹一個在假定悲觀的情況下做出決策的案例吧。經營東京迪士尼樂園的 Oriental Land 股份有限公司，在日本三一一大地震後向銀行借貸五百億日元的資金，Oriental Land 當時的說明是：「為了避免在同等災害再度發生的情況下，陷入資金困窘的局面。」這就是在假定悲觀的情況下產生的決策。

有些商務人士只著重一般情況或樂觀情況，眼光只看到現金充裕的時候，完全不把悲觀情況納入考量。我要提醒各位，最應該納入考量的，反而是悲觀情況。

我在投資銀行的時候，曾經分析過一家企業，這家企業的經營者被譽為經營之神，最讓我驚訝的是，無論假定多麼悲觀的情況，

這家企業的財務報表都有足夠的現金可以因應。我們很容易會聚焦在如何提升營業收入、提升淨利，但是，試著分析收益計畫或資產負債表在最壞的情況下，是否還有足夠的現金，這也是很重要的事。

3 ｜ 模擬案例 ⑤：軟體銀行

軟體銀行在企業併購界相當有名，過去就曾併購多家企業，社長孫正義曾經發表過一段言論，大意如下：

「在收購 Ziff-Davis 之前，我們參考了大約一百份資料，每份至少有足足兩百頁，也就是根據多達兩萬頁的資料進行電腦模擬，分析是否應該收購、應該用多少錢收購，才能夠在淨利開始提升後回本，對我們的淨利又會造成多少影響等等。」

孫社長一定考量過各種假定情況，做過精細的模擬之後才決定收購，這事蹟在投資銀行界相當有名。收購 Ziff-Davis 是 1995 年的事，可見得早在二十多年前，軟體銀行就會花非常多的時間在模擬工作上，並根據模擬的結果做決策。

投資銀行會根據收購對象企業的收益預測，估算併購價格，在提出收益預測時，也會考量前述的三種情況。舉例來說，假設根據樂觀情況的收益預測，估算企業價值有一千億元，根據悲觀情況的收益預測，估算企業價值僅有五百億元，那麼實際的併購價格多半

會落在五百億元左右。因為未來的收益預測當然是不確定的，站在併購方的立場，自然會覺得：「以悲觀情況估算的企業價值作為併購價格，比較不會蒙受損失。」如果根據樂觀情況估算的金額去收購的話，風險就太高了。

4 | 與其看經營指標，不如研究具體情況

在檢視一家企業時，不能光看經營指標，舉例來說，現在日本電力公司的經營風險應該有很大一部分取決於核電廠重新啟動的時間吧。要是經營者無視現況，只根據指標判斷：「本公司的營業淨利率有20%，所以很安全。」那就太過輕率了。

必須更具體地評估現狀，例如，「假定最悲觀的情況，核電廠直到20××年都不會重啟，石油價格又飆升到××元，本公司的淨利還是可以達到××億元，不會面臨虧損。」這樣比起光從淨利率來思考，要更有說服力多了。

5 | 汽車銷售門市的案例

在汽車銷售門市的案例中，這三種假定情況可以這麼設定：

● 一般情況
以往汽車銷售收入成長率為3%，未來也將持續這個水平。

至於其他方面的數字（售後服務收入和各項費用等），由於沒有會導致大幅變動的可預期因素，因此維持現在的數字。

● **樂觀情況**

受到近年來景氣復甦的影響，預期第二年和第三年汽車銷售量將會成長。根據這家門市過去的銷售紀錄，景氣好的時候成長率為5%，因此適用5%的成長率。

此外，由於公司導入新的作業系統，未來將可減少作業人員。雖然每年的銷售管理費會增加1,000萬元，但是在新的作業系統下，不需聘用新進人員，因此每年會減少一名員工。

● **悲觀情況**

近幾年來景氣確實有復甦的跡象，但是年輕人對汽車的依賴程度顯著降低，未來汽車銷售量可能下滑。根據某智庫的調查報告顯示，未來新車銷售量，一年最多可能減少5%，因此假定在悲觀情況下，汽車銷售收入為一年5%的負成長。

為因應銷售量下滑，將縮小業務人員編制，每年將減少兩名員工，以縮減人事費用。

這三種情況的收益計畫分別如圖4-8、4-9和4-10所示。

圖 4-7　思考假定情況

	一般情況	樂觀情況	悲觀情況
情況設定	如同以往的趨勢，汽車銷售收入成長率維持 3% 其他項目不變	由於景氣復甦，汽車銷售收入如同過去景氣好的時候，達到 5% 的成長率 公司導入新的作業系統，銷售管理費將增加 10 百萬元，員工人數則每年減少 1 人	由於年輕人對汽車的依賴不如以往，汽車銷售收入成長率估計為－5% 業務人員也會每年減少 2 人
汽車銷售收入的成長率	＋3%	＋5%	－5%
員工人數（與前一年度相比）	不變	－1 人	－2 人
銷售管理費	不變	從第二年開始＋10 百萬元	不變

圖4-8　一般情況

	A B C	D	E	F	G	H	I
16							
17	收益計畫						
18	一般情況						
19				第1年	第2年	第3年	
20	營業收入		百萬元	500	509	518	
21	汽車銷售		百萬元	300	309	318	
22	成長率		%	N/A	3.0%	3.0%	
23	售後服務		百萬元	200	200	200	
24	費用		百萬元	475	475	475	
25	薪資支出		百萬元	245	245	245	
26	員工人數		人	35	35	35	
27	平均薪資支出		百萬元	7	7	7	
28	銷售管理費		百萬元	230	230	230	
29	營業淨利		百萬元	25	34	43	

一般情況下的條件

圖4-9　樂觀情況

	A B C	D	E	F	G	H	I
31							
32	收益計畫						
33	樂觀情況						
34				第1年	第2年	第3年	
35	營業收入		百萬元	500	515	531	
36	汽車銷售		百萬元	300	315	331	
37	成長率		%	N/A	5.0%	5.0%	
38	售後服務		百萬元	200	200	200	
39	費用		百萬元	475	478	471	
40	薪資支出		百萬元	245	238	231	
41	員工人數		人	35	34	33	
42	平均薪資支出		百萬元	7	7	7	
43	銷售管理費		百萬元	230	240	240	
44	營業淨利		百萬元	25	37	60	

樂觀情況下的條件

圖4-10　悲觀情況

	A B C	D	E	F	G	H	I
1							
2	收益計畫						
3	悲觀情況						
4				第1年	第2年	第3年	
5	營業收入		百萬元	500	485	471	
6	汽車銷售		百萬元	300	285	271	
7	成長率		%	N/A	-5.0%	-5.0%	
8	售後服務		百萬元	200	200	200	
9	費用		百萬元	475	461	447	
10	薪資支出		百萬元	245	231	217	
11	員工人數		人	35	33	31	
12	平均薪資支出		百萬元	7	7	7	
13	銷售管理費		百萬元	230	230	230	
14	營業淨利		百萬元	25	24	24	

悲觀情況
下的條件

如圖4-11所示，把這三種情況的淨利彙總成一張表格，並畫出折線圖，就能夠立刻看出在不同情況下收益預測的差異。

這個案例的主角，也就是門市課長，先向區域經理說明這三種情況的假設條件，並出示收益計畫表和比較圖，再進一步說明：

「關於門市三年後的收益預測，在一般情況下，延續過去的成長趨勢，淨利將達到4,300萬元。如果因為景氣復甦，汽車銷售數量增加，最多有可能提高到6,000萬元，我們也會以這為目標，盡全力達成。相反的，營業收入也有可能減少，最近年輕人對汽車的依賴下降，也會對門市造成負面影響，在最糟糕的情況下，汽車銷售收入也有可能呈現5%的負成長。不過，屆時也會縮小業務人員的編制，淨利可望維持在2,400萬元，不會和現在落差太大。」

區域經理聽到這樣的分析，會給予門市課長高度的評價吧，「能夠根據各種情況，考量未來的收益計畫，還具有高度的風險管理意識，懂得在最惡劣的情況下，也要確保收益的道理。」

收益會在許多因素的影響下大幅變動，正因為如此，才要根據各種假定情況製作收益計畫，從多種角度預測收益。不管是樂觀的角度也好，悲觀的角度也好，讓團隊共享這些觀點，是很重要的。

圖4-11　比較各種情況下的結果

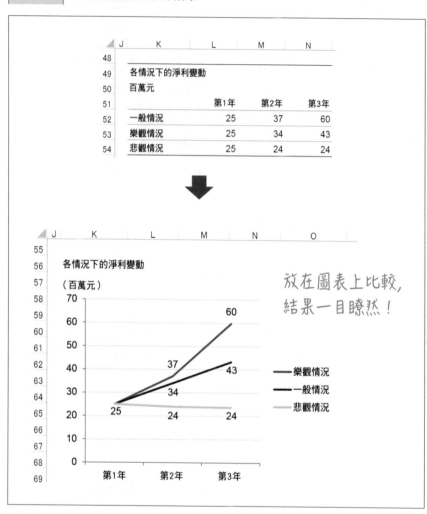

放在圖表上比較，
結果一目瞭然！

敏感度分析思考法

1 什麼是敏感度分析

　　到目前為止的說明，透過汽車銷售門市的案例，各位是否已經了解要如何完成收益模擬了呢？接下來，我們要更進一階，來學習「敏感度分析」。所謂敏感度分析，就是研究會影響收益的幾項變數，如果更動的話，結果會怎麼變動。

　　假設，現在要替一項新推出的商品決定價格，而價格會影響銷售數量的多寡。根據過去的經驗，價格與銷售數量之間的關係有以下三種情形：

- 若價格設定為 1,000 元，每月銷售數量為 500 個
- 若價格設定為 800 元，每月銷售數量為 700 個
- 若價格設定為 1,200 元，每月銷售數量為 400 個

　　像這樣，要模擬多種情況的時候，敏感度分析就可以派上用場。如圖 4-14，製作一份敏感度分析表，就能夠清楚看出價格與銷售數量的變動，會對淨利會造成多少影響。

在決定價格的時候，有這樣一份表格，就很方便進行討論。在會議等場合上，不但可以省下不少的時間，也不必擔心因為更動了數字，就忘記先前計算的淨利是多少的問題。

2 ｜ 汽車銷售門市案例的敏感度分析

接下來，就試著用汽車銷售門市的案例來進行敏感度分析吧。這一次的背景和題目設定請見圖4-12。

| 圖4-12 | 題目2：增加業務人員以擴大營業收入？ |

> 門市課長提出門市未來三年的收益預測資料，獲得了區域經理高度的評價。
>
> 這回，區域經理有了新的提案：「我們應該更積極追求營業收入的成長，如果第二年增加五名業務人員，讓第二年的汽車銷售收入比第一年增加10%，這麼做如何？」
>
> 對此，門市課長的想法如下：「按照目前的收益預測資料，第二年的汽車銷售收入比第一年增加3%，如果能夠增加10%，當然是一件值得期待的事，不過，業務人員增加的話，薪資支出也會增加，還是必須評估最後的淨利究竟會增加，還是會減少。此外，萬一業務人員增加，營業收入卻沒有成長的話，又該怎麼辦？也必須設法避免只有薪資支出增加，而導致虧損。」
>
> 現在，該怎麼辦呢？

碰到這種需要假設多項價值動因的時候，只需要鎖定關鍵字，在這個例子中，也就是針對「員工人數」和「汽車銷售收入的成長率」這兩個項目進行敏感度分析，觀察這兩個項目的數字變動，會對淨利造成什麼樣的影響，決策時就能有所依據。

　　如圖4-14所示，針對員工人數和銷貨收入成長率，製作第二年的淨利模擬表格，可以得到以下推論：

- 如果按照區域經理所說，「員工人數增加五人（35人→40人），讓營業收入成長10%」，淨利會變成2,000萬元（圖4-14的A），比現在的收益預測3,400萬元（不增加員工人數，營業收入成長3%）還要少。因此這個方案不能算是一個良策。
- 要是員工人數增加五人，營業收入成長率卻維持現在的3%，淨利會變成負100萬元的虧損（圖4-14的B）。另外，在悲觀情況下（營業收入成長率為－5%），淨利有可能變成負2,500萬元的嚴重虧損（圖4-14的C）。

　　根據第二年的淨利模擬，**即使營業收入順利成長，增加五名員工的策略依然會大幅提高虧損的風險。**

　　相對於此，如果把員工人數從35人減為30人，又會如何？從圖4-15可知，即使汽車銷售收入成長率下降為－10%，淨利依然能夠達到3,000萬元。

圖4-13 我們要用這張Excel表格做什麼樣的模擬呢？

▲ A B C	D	E	F 第1年	G 第2年	H 第3年	I
收益計畫						
營業收入		百萬元	500	509	518	
汽車銷售		百萬元	300	309	318	
成長率		%	N/A	3.0%	3.0%	
售後服務		百萬元	200	200	200	
費用		百萬元	475	475	475	
薪資支出		百萬元	245	245	245	
員工人數		人	35	35	35	
平均薪資支出		百萬元	7	7	7	
銷售管理費		百萬元	230	230	230	
營業淨利		百萬元	25	34	43	

想知道銷貨收入成長率和員工人數的變動，
會對淨利造成什麼影響！

因此，想要創造更多利益，與其把重點擺在「增加業務人員，以提高營業收入」，不如「減少業務人員，再努力提高業務的效率」。

像這樣，用一張表格，就能夠讓人清楚看出員工人數的增減會對淨利造成什麼樣的影響，相信上司也會更容易被說服。

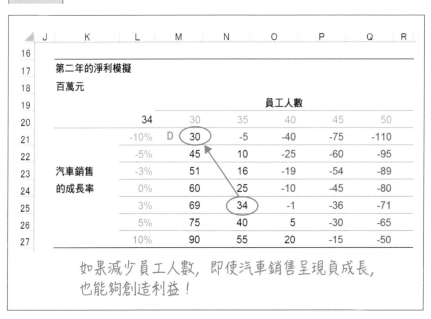

圖4-14 如果增加員工人數的話⋯⋯

	30	35	40	45	50
			員工人數		
-10%	30	-5	C -40	-75	-110
-5%	45	10	-25	-60	-95
-3%	51	16	-19	-54	-89
0%	60	25	B -10	-45	-80
3%	69	34	-1	-36	-71
5%	75	40	5	-30	-65
10%	90	55 A	20	-15	-50

第二年的淨利模擬
百萬元
汽車銷售的成長率

員工人數增加，會提高虧損的風險！

圖4-15 相反的，如果減少員工人數的話⋯⋯

第二年的淨利模擬
百萬元

34	30	35	40	45	50
			員工人數		
-10%	D 30	-5	-40	-75	-110
-5%	45	10	-25	-60	-95
-3%	51	16	-19	-54	-89
0%	60	25	-10	-45	-80
3%	69	34	-1	-36	-71
5%	75	40	5	-30	-65
10%	90	55	20	-15	-50

汽車銷售的成長率

如果減少員工人數，即使汽車銷售呈現負成長，
也能夠創造利益！

我們可以利用 Excel 來做敏感度分析，這裡要使用的是「運算列表」的功能，算出當員工人數和成長率改變時，第二年的淨利會如何變動。

首先，如圖4-16所示，在和收益計畫同一張工作表上，另外建立敏感度分析的空白表格。成長率（縱軸）和員工人數（橫軸）的數值，就根據預估的變動範圍進行設定，把成長率設定在－10％～＋10％之間，員工人數設定在30人～50人之間（原本的收益計畫為成長率＋3％、員工人數35人）。

接下來，將縱軸與橫軸交會的儲存格（圖4-17的A）設定參照，也就是要模擬的數字（第二年的淨利）的儲存格（圖4-17的B）。前導參照的儲存格中，已經填入第二年淨利的算式，接下來，就是要把縱軸和橫軸的數字，套入這個算式中進行計算。

選擇敏感度分析的範圍（圖4-17的C），打開「資料」索引標籤，點選「假設狀況分析」→「運算列表」（圖4-18）。

畫面上跳出「運算列表」的對話方塊後，接下來要設定「列變數儲存格」和「欄變數儲存格」。列是橫軸，也就是員工人數。「列變數儲存格」的意思是「橫軸的數字是原始計算中的哪個部分」，因此先點一下「列變數儲存格」，然後選取原始計算（收益計畫）

中「第二年員工人數」的儲存格G10。

欄就是縱軸，也就是汽車銷售收入的成長率。先點一下「欄變數儲存格」，再選取原始計算中「第二年汽車銷售收入的成長率」的儲存格G6（圖4-17的D），然後按「確定」（圖4-17的E）。

如此一來，即可完成計算，結果就會顯示在各個欄位裡（圖4-19）。

圖4-16 | 建立敏感度分析的空白表格

圖A	B.C.	D	E	F	G	H	I
1							
2		收益計畫					
3				第1年	第2年	第3年	
4		營業收入	百萬元	500	509	518	
5		汽車銷售	百萬元	300	309	318	
6		成長率	%	N/A	3.0%	3.0%	
7		售後服務	百萬元	200	200	200	
8		費用	百萬元	475	475	475	
9		薪資支出	百萬元	245	245	245	
10		員工人數	人	35	35	35	
11		平均薪資支出	百萬元	7	7	7	
12		銷售管理					
13		營業淨利					

跟收益計畫放在同一張工作表上！

圖B	J	K	L	M	N	O	P	Q	R
16		第二年的淨利模擬							
17		百萬元							
18									
19					員工人數				
20				30	35	40	45	50	
21			-10%						
22			-5%						
23		汽車銷售	-3%						
24		的成長率	0%						
25			3%						
26			5%						
27			10%						

圖4-17 **利用運算列表功能，進行敏感度分析**

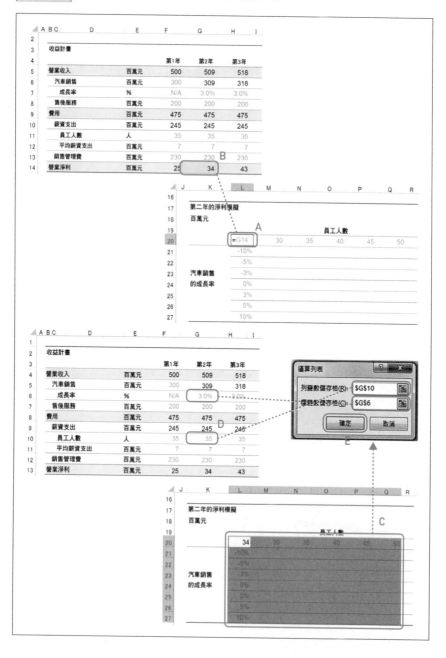

圖4-18　運算列表功能

運算列表功能的路徑：
「資料」→「假設狀況分析」→「運算列表」

圖4-19　瞬間就可以完成淨利模擬

		30	35	40	45	50
第二年的淨利模擬						
百萬元						
			員工人數			
	34	30	35	40	45	50
	-10%	30	-5	-40	-75	-110
	-5%	45	10	-25	-60	-95
汽車銷售	-3%	51	16	-19	-54	-89
的成長率	0%	60	25	-10	-45	-80
	3%	69	34	-1	-36	-71
	5%	75	40	5	-30	-65
	10%	90	55	20	-15	-50

圖4-20 不需要給別人看的數字就隱藏起來

	J	K	L	M	N	O	P	Q	R
16									
17		第二年的淨利模擬							
18		百萬元							
19					員工人數				
20			34	30	35	40	45	50	
21			-10%	30	-5	-40	-75	-110	
22			-5%	45	10	-25	-60	-95	
23		汽車銷售	-3%	51	16	-19	-54	-89	
24		的成長率	0%	60	25	-10	-45	-80	
25			3%	69	34	-1	-36	-71	
26			5%	75	40	5	-30	-65	
27			10%	90	55	20	-15	-50	

	J	K	L	M	N	O	P	Q	R
16									
17		第二年的淨利模擬							
18		百萬元							
19					員工人數				
20				30	35	40	45	50	
21			-10%	30	-5	-40	-75	-110	
22			-5%	45	10	-25	-60	-95	
23		汽車銷售	-3%	51	16	-19	-54	-89	
24		的成長率	0%	60	25	-10	-45	-80	
25			3%	69	34	-1	-36	-71	
26			5%	75	40	5	-30	-65	
27			10%	90	55	20	-15	-50	

把「34」改成白色，隱藏起來！

最後，把縱軸與橫軸交會處的儲存格中「34」這個數字改成白色，隱藏起來（圖4-20圈起來的部分），因為這只是用來計算的數字，不必給別人看到。

經由以上的步驟，就可以針對員工人數和汽車銷售收入成長率設定不同的條件，完成淨利計算表。

4 | 模擬案例 ⑥：非營利組織

在我的Excel講座上，我會讓參加者自己動手建立模擬模型，並且在課程最後發表成果。下面就介紹一位參加者發表的案例，作為敏感度分析的例子吧。

發表人是一位大學生，名叫宮崎，他除了學生的身分，也經營一個非營利組織，為了籌措活動資金，他決定開餐飲店來擴展金源。

宮崎同學找到了一家不定期營業的咖啡店，想在這裡開店，他向店家商量：「能不能在沒有營業的時段，把場地租給我呢？」咖啡店給他的答覆是：① 只租白天、② 只租晚上，要他在兩種方案中選擇一種。兩種方案的租金不一樣。

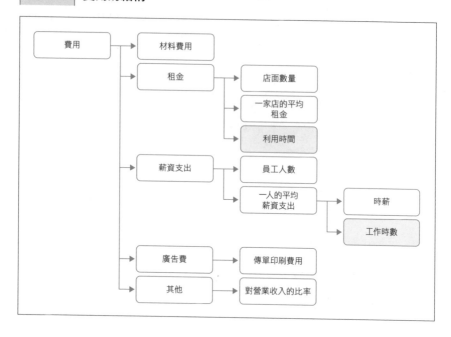

圖 4-21　費用的結構

　　於是，宮崎同學決定利用 Excel 來做收益模擬，試算「只租白天」和「只租晚上」，哪一種方案能夠獲得較多的淨利。考量過各種情況後，他判斷「平均消費」和「翻桌率」這兩項因素對淨利的影響最大。

　　因此，他針對「平均消費」和「翻桌率」這兩個數字進行敏感度分析，得到如圖 4-22 和圖 4-23 的結果。

　　根據模擬的結果，宮崎同學得出判斷：「晚上經營餐飲店比白天經營餐飲店更能獲益，虧損的風險也比較小。」所以他決定經營晚上的時段。

圖 4-22　只租白天時段的淨利模擬

淨利模擬
元

平均消費		翻桌率							
		0.5	1.0	1.5	2.0	2.5	3.0	3.5	4.0
	500	-84,302	-75,752	-67,202	-58,652	-50,102	-41,552	-33,002	-24,452
	1,000	-75,752	-58,652	-41,552	-24,452	-7,352	9,748	26,848	43,948
	1,500	-67,202	-41,552	-15,902	9,748	35,398	61,048	86,698	112,348
	2,000	-58,652	-24,452	9,748	43,948	78,148	112,348	146,548	180,748
	2,500	-50,102	-7,352	35,398	78,148	120,898	163,648	206,398	249,148
	3,000	-41,552	9,748	61,048	112,348	163,648	214,948	266,248	317,548
	3,500	-33,002	26,848	86,698	146,548	206,398	266,248	326,098	385,948
	4,000	-24,452	43,948	112,348	180,748	249,148	317,548	385,948	454,348

圖 4-23　只租晚上時段的淨利模擬

淨利模擬
元

平均消費		翻桌率							
		0.5	1.0	1.5	2.0	2.5	3.0	3.5	4.0
	500	-27,275	-18,725	-10,175	-1,625	6,925	15,475	24,025	32,575
	1,000	-18,725	-1,625	15,475	32,575	49,675	66,775	83,875	100,975
	1,500	-10,175	15,475	41,125	66,775	92,425	118,075	143,725	169,375
	2,000	-1,625	32,575	66,775	100,975	135,175	169,375	203,575	237,775
	2,500	6,925	49,675	92,425	135,175	177,925	220,675	263,425	306,175
	3,000	15,475	66,775	118,075	169,375	220,675	271,975	323,275	374,575
	3,500	24,025	83,875	143,725	203,575	263,425	323,275	383,125	442,975
	4,000	32,575	100,975	169,375	237,775	306,175	374,575	442,975	511,375

宮崎同學很明智，先以明確的數字進行模擬，再來做決定。**最值得讚許的地方是，他深知自己是缺乏市場經驗的大學生，所以更應該善用數字，而不是仰賴直覺，衝動行事。**

那家餐飲店後來怎麼樣了呢？聽說他雇用的外籍主廚因為缺乏成本概念，導致成本率高達70%（材料費占商品價格的比例），遠高於一般餐飲店的30%，所以很可惜的，沒能創造收益。

的確，有時候也會像這樣錯估了價值動因，導致最後的結果與當初的預期大不相同，但即使如此，也不能全盤否定模擬的意義。**當結果不如預期的時候，查明當初沒有考慮到的因素，運用在下一次的模擬當中，提高模擬的精確度，這才是最重要的。**

經常有商務人士在建立新事業的收益計畫時說：「因為是全新的商業模式，所以沒辦法做收益計畫。」儘管如此，還是要試著建立模擬模型，不要輕易放棄，畢竟，沒有任何一個模擬模型從一開始就是精準的，釐清當初的預測和現實之間的差距，逐步改善模型，這才是最重要的。

我開辦的講座「投資銀行教你，用 Excel 學商業模擬！」，參加者往往各形各色，參加的動機也是五花八門。

各位可能會認為，因為是「商業模擬」的講座，參加者應該都是商務人士，但其實當中也有不少大學生。深入了解之後，他們說：「即使在學校學了經營學或行銷學，也不知道將來能不能應用在工作上，與其這樣，不如好好學習 Excel，學會用 Excel 來分析數字。」所以才來參加講座。其中也有很多人在畢業之前，就已經獲得外商顧問業界或金融業界的聘用。

最近也有越來越多經營者來參加講座，像是美容師，很多美容師最終都會獨立開業，但如今的美容市場也與以往大不相同，產業越來越複雜。據說當今最受矚目的是照護美容，也就是在做美容的同時，提供高齡者照護的服務。然而，照護美容不但需要專用的車子，還必須取得照護的證照，在同時有這麼多條件的情況下，收支的估算變得比想像中還要複雜，所以才會來學習 Excel，想利用 Excel 模擬收益。

其他還有很多新創企業的經營者也會來參加講座，為了取得創投的資金，他們必須製作事業計畫書，說明產業的成長性，以及公司為了順利成長，需要投入多少資金等等，他們也想利用 Excel 來完成這些數字的計算。

如今，市場越來越複雜，收益模擬的運用範圍也越來越廣。

後記
Excel 的用途比你想的還要廣！

我想和各位分享，這一路以來，我是如何把 Excel 運用在我的職業生涯中（雖然還很短暫）。

我在摩根士丹利證券投資銀行本部度過一段終日與 Excel 為伍的日子後，開始產生「想要參與事業經營」的念頭，於是，我先進入商學院，再轉職到網路公司（主導巨額的企業併購案等充滿變數的工作，是在投資銀行最難能可貴的經驗，然而，因為沒有自行創業的機會，嚮往事業經營的銀行家出乎意料地多）。

這時候我才發現，從來沒寫過任何一份企畫書的我，毫無構思全新網路服務的能力。商業構想是不會從 Excel 中生出來的⋯⋯

但即使如此，我在投資銀行累積了許多收益模擬的經驗，還是可以活用在工作上，例如分析廣告投資。從網路廣告中，可以獲得許多資料，例如瀏覽廣告的人當中有多少比例的人實際購買商品等，這些資料很複雜，很容易造成團隊的混亂。

於是，我開始花心思在 Excel 上，運用我在本書中介紹的技巧，我把資料整理得一目瞭然，讓資料「視覺化」，團隊能夠運用這份資料來評估廣告的投資報酬率。除此之外，我也深入分析資料，進一步提高廣告的投資報酬率。

現在的我，主要在週末舉辦Excel講座或企業訓練。這一系列的講座，在開辦的第一年就累積了三千位參加者共襄盛舉，經常有人問我：「你是如何吸引到這麼多人參加？」其實這也是拜收益模擬之賜。

　　很多人似乎以為，開辦講座，只要內容好，自然就會有人參加。但我不這麼認為，如果無法讓市場了解內容，即使內容再好，參加人數也有限。

　　為了提高講座的集客力，我進行的一項模擬就是參加費的設定。剛開始舉辦講座的時候，我每舉辦一次講座，就調整一次參加費，可能第一回免費，第二回調到三千日元，這次再調到五千日

調整每回的講座參加費，達到營收的最大化

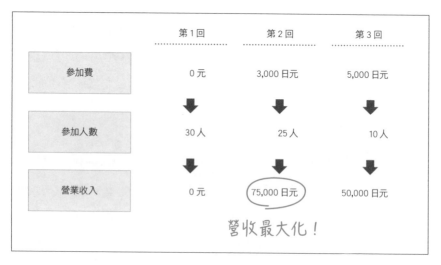

元，參加人數也會隨著價格變動，因此，我花了很多時間在實驗，想知道怎樣的價格設定，能夠讓收益最大化。

有些人會說：「希望有更多參加者的話，調降參加費不就好了嗎？」這話並不是百分之百正確。在一些案例中，提高價格，讓收益最大化後，因為能夠投入廣告的金額增加，達到宣傳效果，集客力會一口氣提升。相反的，也有很多案例，雖然是免費參加的講座，但因為沒錢打廣告，根本沒人注意到那場活動。

讓我花最多時間的事，就是廣告投資的效率化，在哪個廣告上花多少錢，能吸引多少人來參加？在這個條件下的投資報酬率又是多少？我經由反覆的模擬計算與實驗，才能有效地吸引到這麼多人參加講座。

廣告→營收增加→投入更多廣告，形成循環

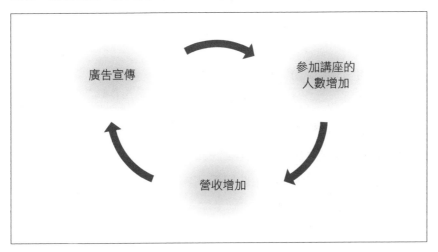

我又進一步思考：「如果能夠提升我個人的品牌，是不是就能讓更多人來參加講座呢？」畢竟，參加一個名不見經傳的講師舉辦的講座，確實是需要勇氣的。這樣的話，如果大家知道「講師是寫了那本Excel書的人」，會不會更放心地來參加講座呢？這就是我寫這本書的契機。如果能夠透過這本書，讓更多人認識正確的Excel使用方法，我將感到無比的喜悅。

　　最後，我想藉此機會向協助本書執筆工作的各位，表達我的感謝之意。首先，本書得以付梓，最要感謝的，當然是摩根士丹利。雖然大家都說外商公司是一個公事公辦的地方，但是在我大學畢業後，培育我五年的摩根士丹利，無疑是我的再生父母，儘管嚴格，卻是非常注重教育的父母。直到現在，每次經過以前辦公室所在的東京惠比壽，回想起當年，都讓我血壓飆升。

　　另外，我要感謝GLOBIS經營研究所，在我舉辦講座的時候提供支援，尤其要感謝給我許多建言的山中老師，以及提供講座會場的beez銀座店。

　　講座的地點不限於東京，鮮少遠行的我，有機會走訪大阪、名古屋、福岡、仙台、札幌，結識各地方的人們，我真的很開心。在福岡遇到熱情溫厚的各位，每每讓我興起移居福岡的念頭，在仙台遇到想利用Excel製作地震重建計畫的人，胸口就泛起一股暖流。另外，還要誠摯感謝在新加坡舉辦講座時，出借會場的ISI-Dentsu South East Asia Pte. Ltd.和北田裕美子女士。

感謝Recruit Career的叶平川先生，我才得以舉辦多場以大學生為對象的講座，也感謝邀請我開設企業訓練課程的朋友，因為有許多新創企業的支持，這一系列的講座才得以成長至今。也感謝Street Academy，個人也能輕鬆舉辦講座，還有schoo的線上教學，也有超過五百人參加。

另外，我還想感謝一路上支持我走到書籍出版這一步的人。首先是幫我和鑽石社居中牽線的笠井奈津子女士。協助我出版這本書的鑽石社社木山政行先生，以及在技術面上提供建議的Excel專家岡田泰子女士，在此也向二位致上感謝之意。對於用Excel比用Word更順手的我來說，要完成上萬字的文章和將近一百五十組圖表，簡直是一項苦差事，我能夠堅持到最後，全都要感謝二位精闢的建議和鼓勵。

我在書中再三強調，Excel是團隊合作下的產物，經過這段日子以來，我覺得，一本書的誕生同樣也是團隊合作下的產物。

最後，我要感謝至今為止參加我的講座或企業訓練的三千位學員，因為有各位寶貴的意見、感想和提問，我才能歸納出應該要知道、很多人卻不曉得的Excel重點。能夠認識各位，聽到各位說：「我學會Excel了！」就是我最大的資產，也是支持我繼續走下去的原動力。期待再次在講座上與各位相見！

熊野　整

格式設定的重點

字型為 Arial
加上千分位符號
手動輸入為藍色、計算為黑色
不填入數字的儲存格標示「N/A」

不要從 A1 儲存格開始

項目底下的細項向右縮排

單位自成一欄

數字靠右對齊

	A B C	D	E	F	G	H	I
1							
2	收益計畫						
3				第1年	第2年	第3年	
4	銷貨收入		元	800,000	1,040,000	1,352,000	
5	銷貨數量		個	1,000	1,300	1,690	
6	成長率		%	N/A	30%	30%	
7	單價		元	800	800	800	
8	費用		元	300,000	500,000	700,000	
9	薪資支出		元	200,000	400,000	600,000	
10	員工人數		人	1	2	3	
11	平均薪資支出		元	200,000	200,000	200,000	
12	租金		元	100,000	100,000	100,000	
13	營業淨利		元	500,000	540,000	652,000	

隱藏欄列使用群組功能

背景色選淡色系

列高為 18
框線上下粗、其餘細
不需要直線
隱藏灰色格線
（背景色設白色）

格式

儲存格格式	Ctrl + 1
變更背景色彩	Alt H H
變更文字色彩	Alt H F C
變更字型	Alt H F F
靠右對齊	Alt H A R
靠左對齊	Alt H A L
群組	Shift + Alt + →
插入列或欄	Ctrl + 加號

移動

移動到當前資料區邊緣	Ctrl + 方向鍵
選定到資料底端	Ctrl + Shift + 方向鍵
移動到其他工作表	Ctrl + Page Down（Page Up）
移動到前導參照儲存格	Ctrl + [

追蹤

追蹤前導參照	Alt M P
追蹤從屬參照	Alt M D
移除箭號	Alt M A A

檔案儲存

另存新檔	Alt F A（或F12）
儲存	Ctrl + S
關閉單一Excel檔案	Ctrl + W
關閉所有Excel檔案	Alt F X（或Alt + F4）

列印	
列印	**Ctrl＋P**
指定列印範圍	**Alt　P　R　S**
設定列印頁面	**Alt　P　S　P**
其他	
繪製圖表	**Alt　N　N　Enter**
複製格式	**Alt　H　V　S**
確認儲存格的內容	**F2**
重複相同的操作	**F4**
表格縮放	**Ctrl＋滑鼠滾輪**

外商投資銀行超強 Excel 製作術——不只教你 Excel 技巧，學會用數字思考、表達、說服，做出最好的商業決策！／熊野整 著；劉格安 譯 . -- 初版 . -- 台北市：時報文化，2016.07；248 面；14.8 × 21 公分

譯自：ビジネスエリートの「これはすごい！」を集めた　外資系投資銀行のエクセル仕事術——數字力が一気に高まる基本スキル

ISBN 978-957-13-6696-8（平裝）

1.EXCEL（電腦程式）

312.49E9

105010264

BIG 叢書 264

外商投資銀行超強 Excel 製作術
──不只教你 Excel 技巧，學會用數字思考、表達、說服，做出最好的商業決策！

ビジネスエリートの「これはすごい！」を集めた
外資系投資銀行のエクセル仕事術──數字力が一気に高まる基本スキル

作者 熊野整 | 譯者 劉格安 | 主編 陳盈華 | 編輯 劉珈盈 | 美術設計 陳文德 | 執行企畫 侯承逸 | 總編輯 余宜芳 | 發行人 趙政岷 | 出版者 時報文化出版企業股份有限公司 10803 台北市和平西路三段 240 號 3 樓 發行專線─(02)2306-6842 讀者服務專線─0800-231-705・(02)2304-7103 讀者服務傳真─(02)2304-6858 郵撥─19344724 時報文化出版公司 信箱─台北郵政 79-99 信箱 時報悅讀網─http://www.readingtimes.com.tw | 法律顧問 理律法律事務所 陳長文律師、李念祖律師 | 印刷 勁達印刷有限公司 | 初版一刷 2016 年 7 月 1 日 | 初版九刷 2019 年 4 月 8 日 | 定價 新台幣 300 元 | （缺頁或破損的書，請寄回更換）

時報文化出版公司成立於一九七五年，並於一九九九年股票上櫃公開發行，於二○○八年脫離中時集團非屬旺中，以「尊重智慧與創意的文化事業」為信念。